昭和に生まれた侠の懺悔

第2章 いじめ撲滅編

KEI

東京キララ社

心友
令和五年 皐月 信日
Kei

はじめに

アメリカの刑務所を出てから20年以上、自分は不良少年少女の更生のボランティアに注力してきた。カウンセリングも無料で行ってきたが、相談内容は時代とともに変わってきている。今はいじめに関する相談が絶えない。どんな子供でも一度はいじめに遭っていると思う。それは昭和に生まれた自分も例外ではない。意外と思われるかもしれないが、自分も幼い頃にいじめを受けていた。その理由はうちが貧乏だったから。小学校4年生の頃、自分は毎日同じ服を着て靴下も履いていなかった。心無い同級生から「汚い」と烙印を押され、いじめの打ってつけのターゲットになってしまった。

例えば、社会科見学に行く時など、先生が生徒たちに「4人のグループを作りなさい」と指示しても、自分だけは誰からも誘われない。こういった時にどうしても除け者にされて自分一人だけが浮いてしまった。やがてそれがいじめに繋がっていく。

自分の場合は「いじめられるくらいなら、こいつら全員やっつけちゃえ」と思い、ある日、教室にある机や椅子を振り回して、いじめてくる奴らをぶん殴ってしまった。それからはいじめられずに済んだし、いじめっ子の奴らが毎朝、家まで自分を迎えに来て一緒に通学したり、学校帰りには「お腹が空いてたらうちでご飯食べていきなよ」と誘ってくれるようになった。あっという間に立場が逆転し、何かトラブルがあると自分に助けを求めてくるようになり、自分が学校でいじめられることはなくなった。

自分は何もしないでいじめられ続けるよりはいいかと思って行動を起こしたけど、現在進行形でいじめに遭っている人に同じことをしろ、とは言わない。暴力だけが解決方法ではないし、自分と同じことをしたって、いい結果になるとは限らない。本書にはいじめに悩んでいる人たちのために自分からのメッセージを掲載しているので、それぞれに合った解決方法を見つけてもらいたい。それでも上手くいかない時はいつでも自分を頼ってほしい。

自分たちの時代とはいじめの質が大きく変わっているから、現在のいじめの対策はより複雑になっている。昔はいじめられた人が自殺するなんてなかった。自分がいじめる側になったこともあるけど、その代わり他の人にはいじめさせないし、何かあれば守ってあげた。のび太とジャイアンのような関係だった。今は一人対学校全員という構図が多くなっていて、より陰湿だから最後には自殺までいってしまう。

いじめ方も目に見えるいじめから目に見えないいじめに。直接的な暴力であれば体に傷が残るからわかりやすいが、いじめの場がＬＩＮＥなどＳＮＳになっているから親や教師には見えづらい。

昔は生活指導の先生がいじめた生徒を平気でひっぱたいていた。今はそれができないことで、すべてが悪い方向にいっている気がする。自分の相談者の中には自殺した人もいるが、学校は決していじめを認めない。いじめは必ず起こるものなのに、それを学校側はないものとして隠蔽するから対応しようにもできない。それが現状だ。自分の場合は第三者委員会を作って、学校側がいじめの事実を認めて謝罪するまで責任を持ってやっている。

本書ではいじめる側、いじめられる側、そしてそれを取り巻く人たちへの自分の思いを言葉や書にし掲載している。いじめは子供たちだけの問題ではない。それを取り巻く大人たちも意識を持たなければ何も変わらない。

自分はアメリカの刑務所でも酷いいじめにあっている。日本のヤクザはアメリカの刑務所には珍しく、特に和彫や欠損した指は好奇の目にさらされる。収監されてすぐのある夜、自分は看守に広場に呼び出され「服を全部脱げ」と命令された。すっぽんぽんにされて、２００人ぐらいの看守全員に囲まれビデオカメラで撮影された。中には女の看守もいた。アメリカでは看守からの囚人へのいじめが問題になっているが、こんな理不尽なことでも抵抗したら独居に入れられてしまう。中東戦争の時に米兵による捕虜への虐待が問題になったが、自分も実際に同じ目に遭っている。このように大人になってもいじめはあるが、看守たちにいじめているつもりはなく、面白半分。珍しいから家族や友達に見せたいという思いからだろう。だけどやられている側からしたら精神的にかなり厳しい。自分はアメリカの刑務所で我慢と諦めを覚えたからなんとか耐えられた。

大人も子供も共通する点は、他の人と比べてちょっと変わってる、という人がいじめのターゲットになるということだ。自分はいじめられた人がいじめる側に回るような負の連鎖がなくなればいいと思っている。だからいつも自分はスタッフなんかに「弱い人に手を差しのべろ」と言い聞かしている。

今回、本書の刊行だけでなく13人のラッパーやDJとともに「いじめ撲滅」を掲げた曲もリリースする。音楽の力は偉大だ。学校の朝礼の時、校長先生の話の代わりに、このいじめ撲滅の曲を毎朝月曜日体育館で流してもらえたら、自ずと気づく生徒も現れるだろう。いじめる人、いじめられる人、それを取り巻く環境、すべてに変革が必要となっている。自分だけでは小さな力だが、どうかこの本を手に取ってくれた皆さんも、子供たちの未来のために力を合わせていただきたい。

二〇二四年四月吉日　ＨＯＭＩＥ　井上ケイ

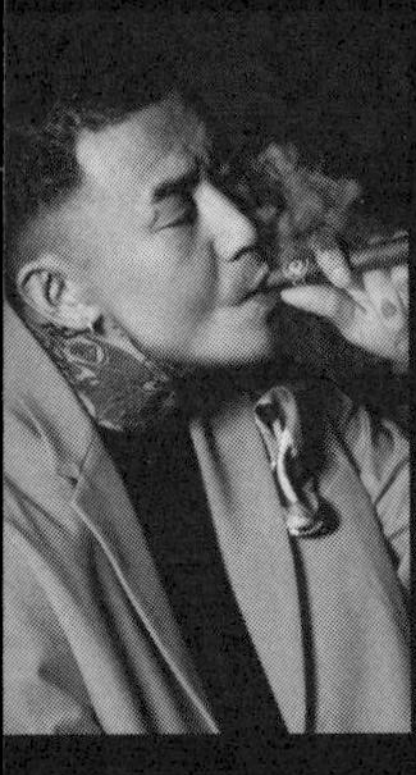

「no bully」

Zeebra
OZworld
KEIJU
IO
JESSE(RIZE/The BONEZ)
ANARCHY
D.O
漢 a.k.a. GAMI
BOO a.k.a. フルスイング
田中雄士
GDX a.k.a. SHU
般若
DJ WATARAI

日本で活躍し、子供たちから絶大な支持を受け
崇拝されている有名ラッパーが
ヒップホップを通じて
「いじめはダサい」という
メッセージを若者に訴えかける。
ラッパーの力強いメッセージと
ヒップホップのリズムに乗った歌が
若者の心に響き
いじめのない明るい未来を
築くきっかけになると信じている。

OZworld

目覚めから憂鬱だ
今日も
後何回くぐるこの校門
またあいつに会うと思うとゾッと
頭ん中で3回コロす
頼れる友達もいねえし
変わりもしねえって諦めていたちょうど
その時に出会った音楽
友達になれたのは学校の外
居場所はここだけじゃなかったって
俺は分かった
で、俺は変わった

1人じゃなかった
空手を習った
誰でも良かった
弱い自分に勝つため戦った
後から気付いた
本当の敵は外なんかにはいねー
夢中になれる自分だけの武器を見つけ
Going my way.

IO&KEIJU

好きなことだけやればいいよ
だけどもう少し勉強
俺はしとけば良かったとか思う
遊んでる金曜
ママとパパの君はいい子
だから生きてりゃいいよ
1人で飲めないミルク
誰かがいた
泣く君の横

わかるわけない誰にも
つらい夜ひとりの夜
世界はみんな綺麗事
それでも過ぎていく今日
言いたきゃ言えばいいよ勝手
悔しい昨日にばかやろう
けれど俺は俺で
自分からは逃げはしないよ

JESSE(RIZE/The BONEZ)

Step back 命削るよ
ここに残す思いを
届くべき人のとこに
ただ俺の独り言
血が混ざったガキ
俺もそうわかるからだよ
そして続く俺の子も
その後も…

生きる死ぬを選択
まっちがえるやつ
泣き崩れる家族
耐えれないから書く
狂ってるよ　まじで
だから頼むよ
俺はここだよ
って声聞かせろ
って事だよ
You

ANARCHY

おいよく聴け　いじめられっ子
ビビりすぎじゃねーの
一歩踏み出してみろよ
アイツら大した事ねーぞ
勇気はお前も持ってる
その魂が困ってる
鏡の自分をよく見て
黙秘権はあるからよく聴け
コーヒーでも奢ってやるよ
売られた喧嘩のお釣りで
本気で人生変えたいなら
昨日までの自分ドブに捨てる

後はやりたい事見つけるだけだ
それを楽しめたら勝ちだ
なんならそっから始まる
人生まだ前半
今しかない立ち上がるのは
何にも気にすんな
後で全部笑えるんだ
誰か一人でも
救えるような人生にしたい
勇気を出せなかった事を
後悔するのは
きっとつらい

D.O& 漢 a.k.a. GAMI

どうなるかじゃなく
どうするかだって teens
どう身を交わすかより
どうブチかますか
とまどうぐらいなら逃げればいい
何から話せばイイ
何から伝えりゃイイ
自由に生きればイイ
けどやっぱり
いじめはカッコ悪りー

結局弱いもんいじめじゃ
あとんなって惨め
ケジメをつけなきゃ
ドン底に沈める
もう今日は来ないのに
ウシロめたいのはやっぱり
気持ち悪りー
自分が言われて傷つく言葉は
相手にとってもおんなじハナシ
手に乗っけろテストの点より
ツルめるツレと笑うミライ

BOO a.k.a. フルスイング

今日から夢を描いていんだぜお前は
今日から夢が無ぇなら探そうお題は
史上最低の犯罪
諦めお手上げバンザイ
代わりに俺が〝銃〟犯罪
臭いもの蓋する柔軟剤

無数に輝く選択肢
絶対にするなメンタル死
覚悟と仲間と結託し
乗り合わせるぜ hey TAXI
あの日笑う事をやめた
なんなら泣く事もやめた
生きてる間に chance を使え
red list からの revenge

田中雄士

何度も言う気ない
蓋してた少年時代
徒党組んで生む
Cash ruled everything around me
歪な絆　昨日の友達すらナイフ
負の連鎖
イジメに抗おうと選んだ暴力
結果一番のイジメっ子は自分と気づく
残ったカルマ　後悔は死ぬまで続く
I' m not charisma
変わるんだ

GDX a.k.a. SHU

思い馳せるこの国の現状
辛い今の状況から抜け出す
戦場みたくまた誰か
傷を負って生きてく
誰にだって生きる権利有るんだ
この広い大地の上
分かり合える仲間
そこにイジメなんて必要ねえから
ダセエ事は止めたら?
君の価値が下がる
この街の風景変えるなら今
チャンスを逃すな

人が人と繋がり　交わり
生まれる軋轢　恥ずべき 陰口
人が人を裁く有り得ない現実
それが真実
変える事が出来る戦術
一致団結　胸に秘めた思いぶちまけ
負け犬じゃねえ人生作り上げて
見返す力　身に付けたら
胸を張って生き抜く
この世界の中で

般若

殴ってどう?
で、ハブってどう?
また何処かで絶対会うんでしょ?
アイツはお前をやるってよ
逆にお前の事をやるってよ
1+1の答えは2
この道の先　止まれない
想像出来ない未来は
あっから人間として尖れば良い

ジャンケンだったらグーチョキパー
あいこがあるってゆうのにな
で、終わった後　スッとした?
俺やり返した後ゾッとした
殴られた方は忘れない
やり返した気持ち忘れたい
癒えない傷
言えない理由
会ってないだけで仲間は居る

Zeebra

例え全世界を敵に回しても
例え真実すら捻じ曲げられても
ここに俺らが居る
ここに俺らが居る
ここに俺らが居る
ここに俺らが居る

人は間違いを犯す愚かな者
悔やんで乗り越えて
次向かう先はどこ?
そこにお前らが居る
そこにお前らが居る
そこにお前らが居る
そこにお前らが居る

—いじめられている子に向けて—

いじめられているからといって逃げる必要はない。だからといって自分自身が強くならなくてもいい。人を頼ればいいのだから。相談相手は家族や友達だけではなく、自分のような活動をしている人たちもいる。逃げずに解決する道はあるから心配しないでほしい。

本書では「いじめられている子」「いじめている子」「その周囲の人たち」に章を分けて、自分からのメッセージを掲載していく。まずは「いじめられている子」へ。自分が生まれた昭和の時代と現在では、いじめに対する考え方も取り組み方も違っている。まえがきでも書いたが、自分が小学生の頃にいじめられた時には、力を持って制したことで一気に形勢が逆転した。今はいじめに対する考え方も変わってきているが、自分の経験に基づいたメッセージから一つでも自分自身の「人生を変える」言葉が見つかればいいと思っている。
大事なことは逃げる必要はないということ。逃げたら一生逃げなくちゃならない。だから逃げずに解決してほしい。自分が強くなれなくても人を頼ればいい。あなたを救ってくれる人は、家族や友達だけじゃない。自分のような第三者にお願いしてもいいのだから。自分がいじめられているという意識があれば、必ず誰かに相談してもらいたい。

実際に自分の元へいじめの相談にくる子も多い。カウンセリングの時に自分がまず訊くのは「現在の状況、どんなことをされているのか」、そして「それに対しどう思っているのか」ということ。あとは自分たちが、その問題の起こっている学校に行って話をするんだけど、学校側は絶対にいじめを認めない。そういった時は教育委員会へ話を持っていく。子どもが怪我しているのであれば病院に連れて行って診断書を取ることも大切だ。診断書があれば警察に事件として相談ができるし、裁判を起こす時にも必要となる。文部科学省は2023年2月7日、各都道府県の教育委員会等へ「いじめ問題への的確な対応に向けた警察との連携等の徹底について」を通知している。

いじめ問題を親に相談しても上手くいかない場合が多い。いじめの被害者と担任の先生との間に大きな意識の差があるのが問題で、「その程度のことはいじめではないし、そこまで悩むことはない」と思う先生が大半だからだ。例えば親が感情的になって学校に抗議しに行ったとする。話を聞いた校長や教頭は担任に状況を確認する。「そんな酷いいじめはないですよ」と担任は言う。校長や教頭は大概が「あ、そうなの」で終わり。

そして、いじめられている子どもの気持ちの重さに気づかない担任の先生が、いじめている側の子どもに「お前らそんなことするなよ」と軽い気持ちで注意したことから「お前、チクったろ」といじめがエスカレートしてしまうことが多い。だから、相談する相手を考えてほしい。先生に言えばなんとかなる、と簡単に考えず、最初から専門家に頼ることも視野に入れてください。

子供に云いたいこと
人生とは情けの繋がりの中で
生活するもの
血も涙も無き薄情者
なって欲しくない
「情」を忘れてくれぐれも

弱い者を虐めたりしないでほしい
「情」をかけ過ぎても駄目だけど
せいぜい弱い立場の人には助けの
手を差し伸べてやってください

令和四年　師走　心日

Kei.

子供の瞳

純粋な子供の目を見ていると
心が洗われる
今日も一日子供の瞳を見ながら
子供たちの将来を考えている
自分がいる
明日はまた同じく同じ自分が

いることを信じている
これからは最後までその人生を
全うしたいと思っている
子供達が健やかに育ってくれる
ことを切に願っています

令和四年　師走　心団

Kei.

火を避けて水に陥る

人間得てして「火を避けて水に陥る」こと多々あり
火を避けて水に飛び込んだら今度は水に溺れてしまう
一難去ってまた一難が人間の人生である
どうせなら自ら災難に立ち向かった方が良いのかもしれない
その方がたとえ失敗しても納得がいくだろう

上り坂、下り坂

上り坂は辛く苦しく遠く感じるもの
下り坂は楽で早く感じるもの
辛く苦しい思いをしてやっと上りきっても
下り坂で一度でも躓けば転げ落ちるのも早いもの
だから下りは用心しなければ元も子もない

正々堂々

心を正しく持ち何事にも明瞭で
恥じることは一つもなく
誰に対しても正々堂々と
真正面から話ができることが
男として大切なのではないか

心の叫び

時には大きな声で自分の気持ちを叫んでみたい！
誰にも相談できず一人で悩むことは
本当に辛いことだから
たまには大きな声で自分の悩みを叫んでみたい
心の叫びを！

努力

苦しくても人に頼らず
自分自身で努力する人には
必ず良いことが有るだろう
努力すれば必ず叶うことが有るだろう
まずは努力を惜しまないように「努力」しよう

全身全霊

身を捨ててこそ浮かぶ瀬もあれ
面倒くさい困難に直面した時は
全てのためらいを捨てて全身全力でぶつかって行けば
案外活路が開け窮地から抜け出すことができる

道

人に頼らず己で努力して苦労する者には
きっと天からの恵みがあるだろう
努力を惜しまなければ
「道」が開けるのではないか?

全力を尽くす

生きている限りは
全力を尽くして死ぬ気で頑張ること
悔いても喜んでも泣いても笑っても
生きているということは
有り難いものですよ

一日

今日は良い一日
今日は嫌な一日
そういう思いは全て己が作りだす
己次第で一日が始まるのです

まずは行動

失敗を恐れては
何も事が運ばない！
まずは行動しよう
そうすれば必ず
それに応じた結果が出るはず
思ったことは行動に移そう！

限界突破

限界突破して生きる！
自分の能力を最大限に引き出して
積極的にどんなことでも挑戦し
困難の壁を乗り越えること
それが人生においての
逆境や苦難に立ち向かえる
自分自身の器量
それが限界突破なんです
成果を上げるために
挑戦し続けること
それが重要だ

苦難

苦難を乗り越えることで人は成長する
だから苦難に感謝しよう！
苦難すれば己の精神を磨くことができる
そう思おう！
自分の目標や信念を見失わず
前向きな気持ちで苦難とぶつかっていこう！
それが自分のためでもあるのだから！

日本の未来

未来は予測不能
今後自分がどのように計画を立てどう行動するか
どれだけ考えたとしても

うまく事が進まないこともあるでしょう
しかし必ず自分の選択が結果に繋がる
まだ起こっていない未来に対して
先見性を高めたいものです
道を間違えなければ、自分が死んだ後も
己がやって来たことが日本の未来に残るでしょう?

失敗

本当の「失敗」は
なんに対しても興味を示さない事
興味を示して挑戦することが
「失敗」しない土台を作るのでは?
「失敗」を恐れず
まずはなんでもいいから挑戦してみよう

人間 苦しんで苦しみ抜いて
初めて強くなります
苦しいときは死んだ方が
マシだと思いましたが
死ぬことより 苦しむ方が
どれだけ辛いことか

苦しむことがその人間を
成長させると自分は
思うのです
まだまだ人生捨てたもんじゃ
ありませんよ！

令和三年　卯月　悟日

Kei

伝わらない気持ち

伝え方の表現を間違えれば
相手に違った印象を与えてしまうだろう
声を荒げて感情的な表現をすれば相手には怒りしか与えないだろう
過剰な感情表現だけでは本当に大切なことは伝わらない
自分は何を伝えたいのか
そして、それをどう伝えるべきなのか
しっかり考え行動することで変わることがあるだろう

苦しい思い

筋トレにスポーツ
己の肉体を納得いくまで鍛えあげるには
辛く苦しいトレーニングを

日々継続しなければなりません
人生に起こりうる
精神的な苦しみも同じです
苦しい時を知っているからこそ
楽しい時が訪れるのです
苦しい思いをすればするほど
精神が鍛えあげられ
「成長」につながるのです

将来の糧

苦労すればするほど
それが自分の骨となり身となる！
将来の糧となる！
だから若い内は買ってでも苦労しろ！

粋な漢

人に悟られず相手に気が遣える人間
結果がわかっていても事をやり遂げる人間
心では怒っていても相手に優しくできる人間
己の損を考えず人のために身体を懸けられる人間
それが粋な漢だろ？
粋な漢には華がある
そんな漢になりたい

人は人、己は己

自分というものを強く持て！
人は人
己は己

自分の心が強ければ
何者にも負けないだろう！
人と比べるから自分を見失ってしまう
自分というものを強く持とう！

やり抜く努力！

努力は誰でもできる！
ただ途中放棄すれば
また最初からやり直し！
それでは努力したことが水の泡！
だったら最初っから放棄などするな！
一度こうと決めたのなら
駄目だと思っても
やり抜く努力をしよう！

屈強になる

1. 身の安全を護るため
2. 健康を維持するため
3. 自信を維持するため
人生の色々な場面で屈強になるために
スポーツや趣味を通して、忍耐力を作り上げよう!

気合を入れて這い上がってみせる!

自分で自身を鼓舞し
気合いを入れるためには
目標に向かって這い上がる自信を持つことが大切
また周りの人たちからのサポートやエールも
気合いを高めることには必要だ

いまに見ていろ！
という歳でもないんだが
そんな気持ちになるのは
やはり男として生まれて来たからだろう
もう一旗揚げてやろう

所作

人とのコミュニケーションや関係を
まぁるく納められることが
自分の所作で決まる！
器量ですね！
信頼関係を築く為に協調性を感じ
友好関係を育む為に必要不可欠な所作で
相手との近さ遠さが変わってくるでしょう！

何処に居たって

隅っこに居たって、縁の下に居たって
何処に居たってあなたの味方だから

仲間たち

歯に衣を着せずずけずけと飾らずに
思った通りに話せることは大切だと思う
奥歯にものが挟まったような話をするよりわかりやすくて良い！
自分の回りの昔の仲間たちは、ずけずけと飾らずものを言う！
良いのか悪いのか
まぁ、腹に一物を持っている奴らより良いだろ！
お互いに納得行くように
何でも話をできるってことは大切な事だと思います

自分の姿

今の自分が、苦しむ姿、悩む姿
それを未来の自分が思い出せば
人に優しくなれるだろう

立っているからこそ

寝ている者が転ぶはずがない
これは失敗しても仕方ないだろうという意味だ
行動を起こさなければ、失敗もしないし躓くこともない
立っているからこそ、転んだり災難に会うのだろう
それが人生なんだろうね！

心を「無」にして
必死に相手に
向かって闘う！
勝ちに走れば必ず
負けてしまう

「無」になり必死に
食らい付けばいい！
負けて元々！
「無」になって
食らい付け！

令和三年 皐月 勝日

Kei.

自分を信頼してくれるやつ十人
自分を信頼しないやつ百人
自分を良く言うやつ十人
自分を悪く言うやつ百人
人の悪いところは百人の
ほうに傾くところがある

でも十人の信頼できるやつ
十人の俺を好いてくれる奴が
居れば充分だと思う
十人の奴たちにお礼を言いたい！
これからも宜しく！

令和三年　文月　男日

Ke

堅《けん》忍《にん》不《ふ》抜《ばつ》

どんな事があっても
心を動かさず、

じっと我慢して
耐え忍ぶこと

令和四年 神奈月 心曇日

Kei.

嘆いても
人に話せぬ
児がおりて

アザある顔が
歪みて笑う

令和五年 霜月 考日

Kei.

希望という燃料

人はどんな時も希望がなければ動けません！
希望という燃料が人間を突き動かすのです

心

虚栄心、恐怖心、安心、全てが表裏一体です
安心していても恐怖心はなくなりませんし
見栄を張っていても安心はできません
いつどうなるのか、それはわかりません
心というものは、全てが流動的なのです
だから毎日を平常心で過ごしてください

ポーカーフェイス

自身の感情を全く表に出さない人の事を
ポーカーフェイスだと一言で言うけれど
そのフェイスの裏側には多くの感情が隠されているんだと思う
全ての感情を自身の中に押さえ閉じ込めている人は
きっととてつもない忍耐力を持っているんだろう

明日のことはわからない

人間は明日のことなどわからない
明日の運命や天命などというものも考えたくない
今ある自分が大切なんです
一寸先は闇？　そんなことは関係ないのです
今が大切なんですから！　今を大切に生きるんですよ！

正直さ

知識がなくとも「正直さ」があればいい
正直な心が知識を作り上げるのだから
真っ直ぐに生きよう！

仲良しのコツ

1. コミュニケーションを大切にする
2. 相手の立場に立って考えてみる
3. 相手と誠実に向き合う
4. 自分の意見を押し通さない
5. 相手との距離感を保つ

解放

肉体的苦痛より
精神的苦痛の方がとても苦しい
肉体は休めば復活するが
精神的苦痛の解放はなかなか難しい
心が病めば肉体も病む
では精神的苦痛はどうすれば和らぐのか
性格や考え方も影響するが
趣味に没頭したり
落ち着く時間を設けたり
要因から心を遠ざけてみよう
少しは今の悩みから解放されるだろう

野暮な漢

自分の意思をはっきり伝えられない人
言いたいことをはっきり言えない人
あっちこっちで言うことが違う人
人の悪口を誰にでも愚痴る人
言葉と行動が違う人
自分の言い訳を他人に転嫁してしまう人
野暮な漢だね

自己ケア

ブチ切れる気持ちになる時は？
日常生活や仕事のストレスがたまっていると
小さなことでもブチ切れる可能性が高くなる

睡眠不足や疲労が蓄積されている時は
感情をコントロールできなくなる
人間関係のトラブルがある時
コミュニケーションがうまくできず
ストレスを与える人物との関係などが原因で
イライラがつのりブチ切れそうになる
予定外のトラブルがおき突然の出来事が重なると
イライラが蓄積しやすくなる
ブチ切れる前に
ストレス発散法
リラックス法
コミュニケーション法
睡眠を十分に取ったり
自己ケアについてよく考えてみよう！

怒鳴り声
聞いて小さく
塞ぎこむ

児らに未来は
あるはずも無き

令和五年 霜月 怖日

Kei.

屈せずに
突き進むこと
難有れば

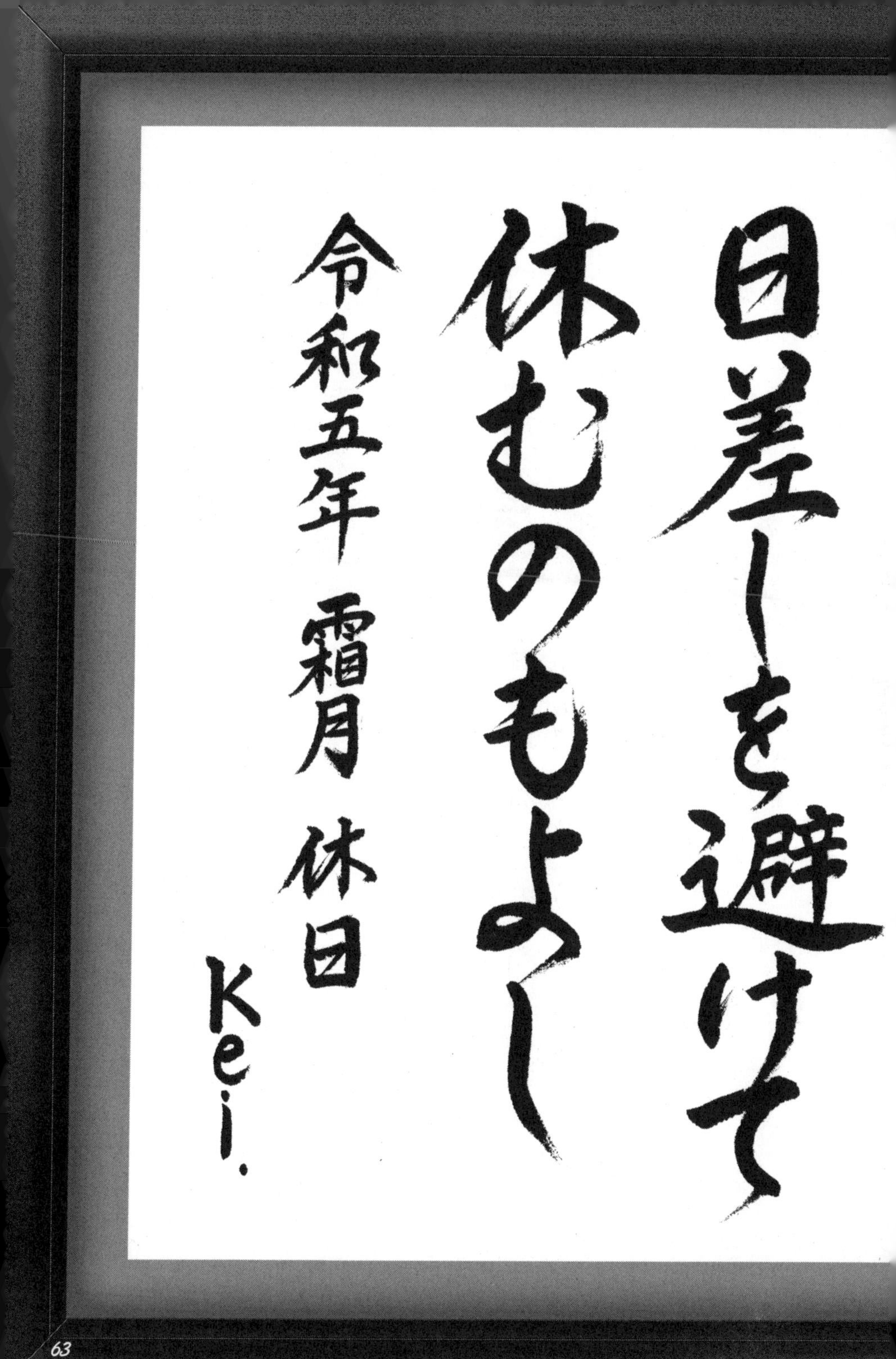
日差しを避けて
休むのもよし
令和五年 霜月 休日
Kei.

雷雲の
轟く今を
我耐えて

雲の切れ間を
狙い定めて

令和五年 霜月 吉日
Kei.

人は人
俺は俺だと
信念を

曲げずに生きる
今日も一日

令和五年 霜月 耐日

Kei.

粘り強さ

踏まれて　揉まれて
潰しにかかられても
「負けるか！」と言う
その思いがある限り
人間はそう簡単に潰れない
負けない様にできている！
自分の粘り強さが続く限りね！

粘り強さも 負けるか！
と言う思いが無くなった時は
負けも負けと思わなくなるんだね！
そうならないように最後まで
粘り通すことを心がけないとね！

令和三年 水無月 気持

Kei

いじめている本人にはそのつもりがなくても、やられている側はそうではない。被害を受けている側がどう感じるかが問題だ。最初は面白半分から始まったり、軽い気持ちで言ってしまったり、悪気がないかもしれない。でも、何気なく口走ったことでも、相手が深く傷つくことがあるから注意してほしい。

KEITS

ある人と対談した時に、その方の奥さんが幼少時にいじめに遭っていたという話を聞いた。奥さんは昔、自分をいじめていた相手を大人になってから訪問したら、みんなから口を揃えて「私、いじめてないじゃん」と言われたそうだ。いくら時間が経って普通の感覚で会えるようになったとしても、いじめられた側からすると余計にショックだったという。このいじめられた側といじめた側の温度差が問題なのだ。

「俺はいじめてないよ」と思っていても、相手にとってはいじめになっている場合があるから、言葉一つ一つに注意しながら、相手のことを思って、自分が言われたらどう思うだろうと考えて行動してほしい。

いじめた側はその事実が記憶にも残っていないことがあるようだが、いじめられた側からすると長く心に傷が残っているものだ。大人になっても消えないトラウマとなっている場合もある。

単なる冗談のつもりでも、それに周りの子が便乗していじめとなる場合もある。その子にとって嫌なあだ名をつけるのもいじめだ。今ではあだ名一つで自殺にまで至るケースもあるから、本当に気をつけないといけない。

自分が相談を受けた中には学校の成績やスポーツなどで、自分より長けている人に対しての妬みややっかみからいじめに走るケースもあるが、それは最低の行為だと思ってほしい。他人の足を引っ張ったり、いじめたりする暇があったら、もっと前向きに、勉強だろうとスポーツだろうと努力して相手を見返してやるぐらいの気持ちで臨んだらどうだろう。そうすれば、理不尽に相手を傷つけることはなくなるし、何よりも自分のためにもなる。

自分はいじめられている子の逃げ場を探すんじゃなくて、いじめてる側の子を再教育しないといじめは減らないと考えている。再教育というのは人間としての最低限の道徳を教えることだ。まずは人間としての指導、それがいじめている人たちに必要なことだと思う。

そのための施設も必要だろう。少年院のように隔離するわけじゃないが、普通の学校と比べてある程度自由を失った状態にならないと、いじめっ子たちは聞く耳を持たないだろう。そういった施設に入れられるのが嫌だという理由で、いじめ行為を控えるようになる人もいるはずだ。現実問題としていじめを100%なくすのは不可能なので、こういった施設を増やしていくことで、いじめの減少が目指せると自分は考えている。

ちなみにフランスではいじめ行為は「犯罪」だと認識されている。2022年に法改正され、悪質なケースは罰金や懲役も課されるようになっている。日本にもある程度の罰則が必要なのではないだろうか。

不言実行

文句を言いたいことも
あるだろう
頭にきて、この野郎と
思うこともあるだろう
言いたいことも言わず

グッとこらえて
その時が来るまで我慢する
行動するときには
人に言わず黙って動く
それが不言実行である

令和三年　心日

Kei.

道徳

人間が生きていく上でのルールです
道徳を守れないと
「人の道」を外れ
外道
そう呼ばれるのです

道徳を「学べば」人の道を
歩けるのですよ！
最低限の道徳を
学んでください！

令和五年　霜月　学日

Kei、

先人の
言うこと聞かぬ
今の子ら

後で泣かずに
聞く耳持てよ

令和五年 霜月 心日

Kei.

笑うな！

馬鹿を笑っても貧乏を笑うな！
浮き沈みの激しいこのご時世
落ち目になることもあるだろう
だから馬鹿を笑っても
貧しい人のことは決して笑っては駄目！
自分がその立場に立てば、よく解るだろう

人間の道徳

弱い者の立場を考え
拳を振り上げたり、言葉の暴力でいじめてはならない
拳を振り上げるのは弱い者を救う時だけだ
それが人間の道徳だ

最低限の生き方

男だろ！　身体を賭けて行動しろよ！
言い訳をするな！　嘘を吐くな！
良いとこ付きをするな！　カッコつけるな！
二言を言うな！
やったことの責任はきちんと取りけじめをつけろ！
それが男としての最低限の生き方だろ！

礼儀正しくあれ！

まずは自分自身が礼儀正しくあれ！
人の非礼を正すことよりね
自分がしっかりしていたら
自然に相手も礼儀正しくなるだろう

拳

人間はまだ自分のことがよく解らない時
振り上げた拳を平気で振り下ろす
しかし己を良く解っている人間はそこで考える
成熟した人間は安易に拳を振り下ろすことはない
簡単に拳を振り下ろせばどうなるか
理解していればいじめなどしないだろう
思わず拳を振り上げてしまったのなら
目の前の相手に自分を重ねれば良い
その拳は弱い人間を護るためのものだと思い出すだろう

カッコ悪いいじめ！

弱い者に対しての攻撃的な行為

人を傷つけるような道徳に反する行為
それらを行っている人に言いたい
いじめはカッコ悪いよ
本当に強い人間は弱い者にそんな態度を取らない
逆に庇い護ることに徹するだろう
そうすることで人はさらに強くなる
カッコの良い男になりたいね！

平等な世の中

公平ではない今の世の中で
どうやって人生を生き抜くか考え
どうすれば平等な世になるのか考え
鏡で己を見るように世界を見て
毎日を送ってください

良い嘘悪い嘘

人間は誰しも見栄があり
小さな嘘をついてしまう
弱い生き物である
しかしバカ正直になんでも
本当のことを話してしまうのも考えものだ
人を陥れる嘘はダメだが
人に迷惑をかけない嘘ならば
誰かを救うことができる嘘ならば
時には必要だろう
けれど決して
嘘で固めた人生を送るなんてことは
してはいけない
できる限り自分に誠実であれ！

人から感謝されるということ

「ありがとうございます」
人から感謝されると
人間、悪い気はしません
だから自分はもっと
人から感謝されるような人間になりたい
そんなことを言葉で言うのは簡単ですが
容易いことではないでしょう
それでも、そんな人間を目指していれば
おのずと日々の行動が変わって来るのでは？
最初は小さなことで良い
皆さんも人から
「ありがとう」と言われるような
行動を積み重ねてください

限度を知らぬ若者たち

昔の喧嘩慣れしている人たちは
ここまでやればどうなるか
こうすれば相手に致命傷を与えてしまうと加減したもの
でも今の若者たちは
子供や弱い者に対しての暴力に遠慮がないね
「これ以上やればヤバいだろう」
そう考えないんだね
限度を知らぬ若者たちの暴力
注意を払ったほうがいいだろう

少年時代の過ち

とかく少年期は

思ってもいない過ちを犯してしまいがちだ
大人から見たら
「とんでもないことだ！」ということも
子供からしたら
「何が悪い?」そう思うだろう
アメリカのワシントン大統領も
少年期に桜の木を切ってしまい「失敗」している
今は迷惑をかけていたとしても
いつか自分のしてきたことを反省できれば
必ずその過ちを糧にして己の言動を改められるだろう
人間「やり直したい」「改めたい」
そう思うことに遅いなんてない
そう思えるように手を差しのべたい
少年期に過ちはつきものだから

情け

人や動物に対し
その苦しみや困難を理解し共有できる
心の配慮のことを情けと言います
人間の心に備わっている
思いやりの感情の一つです
他人の苦しみや困難を解消するために
励ましの言葉をかけることは
任侠の心に通じるのです

風

肩で風を切るより、相手に逆らうより
穏やかに済ませよう

人生を変える縁

目の前にいる人が
自分の人生を変えるかもしれない
それが人との出逢い
縁は大切にしていきたい

戒め

謙虚さを忘れず、自制心を持つ
快楽に囚われず、過去に囚われない
自己評価を見直す
この戒めを自分の成長に合わせて追求することが
大切なことだろう

限界

自分の限界を意識することは重要である
闇雲に努力しても何も変わらない
しかし自分の限界を理解していれば違う
限界を意識することで
より具体的に取り組むことができるだろう
自分の限界を知っているからこそ
それを越えるための効果的な方法やサポートを
見つけることができるだろう
限界を意識し限界を超えてみよう

ブレない芯

人はどうして組織人になると
一人でうまく立ち回れないのだろう?
組織という枠が邪魔をするのはわかる
組織人でありたきゃそれなりのゴマスリも必要だろうが
譲れぬブレない芯を持つことはできるだろう
己をどこまで貫き通せるか
そんな突っ張る心持ちがあれば
何でもできるのではないか
その心意気こそが大切だ
自分はそう思って生きている
長いものには巻かれるな

勉強不足

時間がない
考えることができない
色々な要素が重なり
できるはずのこともできないから不足する！
不足すればその不足を補おうとするから焦る！
プライドばかりが先行して
現状を人に相談できない！
本当はもっと言いたいことがたくさんあるし
もっとハッキリけじめをつけてもらいたいこともあるだろうが
不足が多すぎ
それを言動にうつせない！
そこが勉強不足なんですね！

反省！

反省することも後悔することも
年相応にあることだと思う
反省するには物事の始まりがある
その始まりに自分が何をしたのか？
何が足りなかったのか？
色々考えることはあるけど
過ぎたことは「今更ながら」
そう思ったほうが良いだろう
反省は大切だけど
同じことを何度も繰り返しているなら手遅れだ
あとは余生をひっそりと
目立たずに生きていくことだね

愚鈍

人目を気にしない人間ほど愚鈍
人に関心を示さない
だから己の事ばかり考えてると
相手に痛いところを突かれて完敗
人を見る目を養うには
まず己が人を騙さないこと
裏切らないこと
その場しのぎの言葉を誰彼なしに言わぬこと！
それさえなければ今の自分はもっと他人に好かれていることだろう
成功も成しえているだろう
もっと見栄を重ねないであるがままの己を出そう
そうすれば周りがバックアップしてくれるはず

強く優しい人

他人を許せる人は強い人なんだな
他人を叱れる人は優しい人なんだな
そう思える事が立派なんだよ

外道

外道とは
道を外れし
者達の
欲望心の
表れなりて

虐めなど
強き者ほど
しちゃならぬ

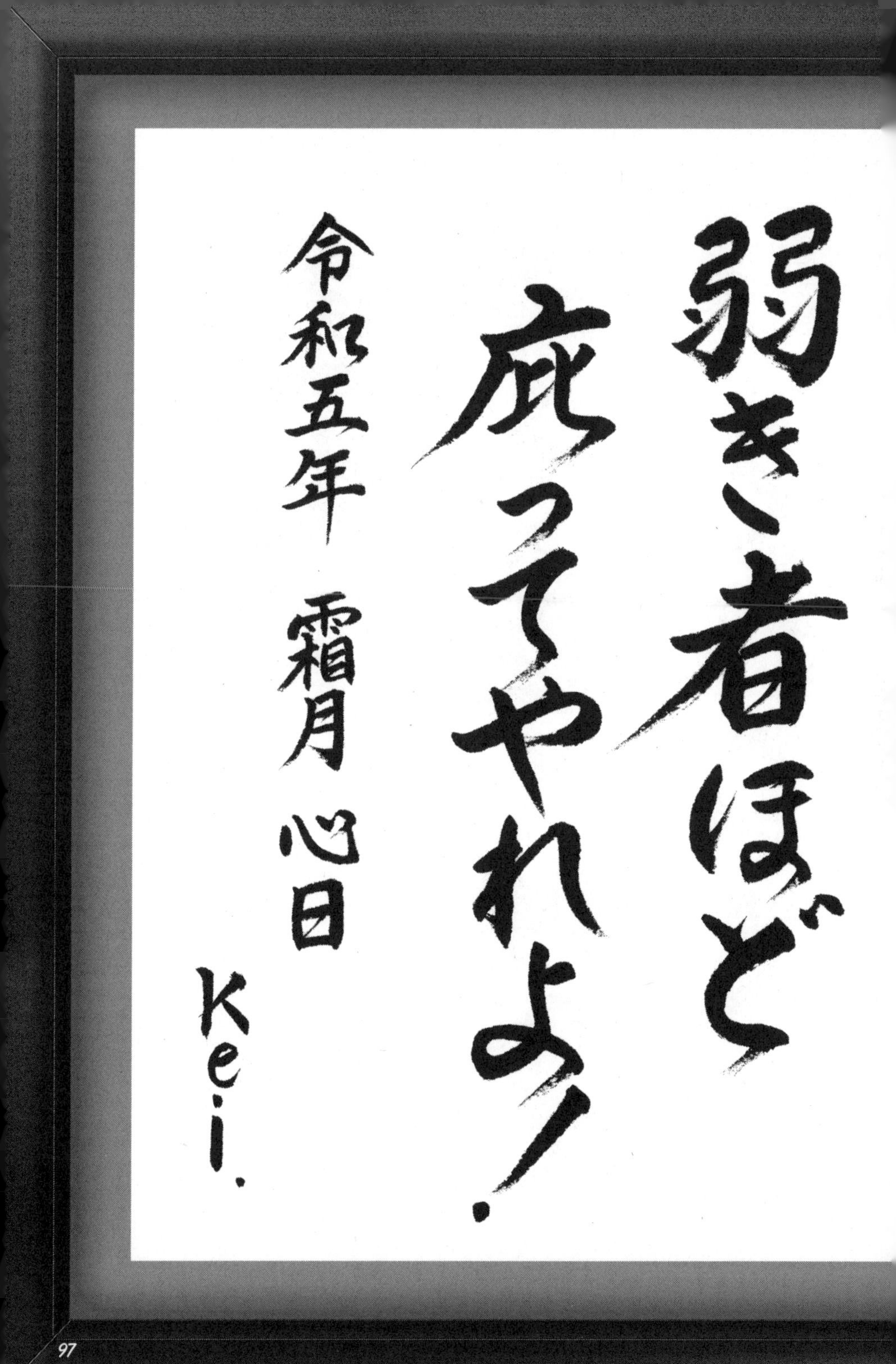
弱き者ほど
庇ってやれよ！
令和五年 霜月 心日
Kei.

更生に
手を差し伸べて
くれる人

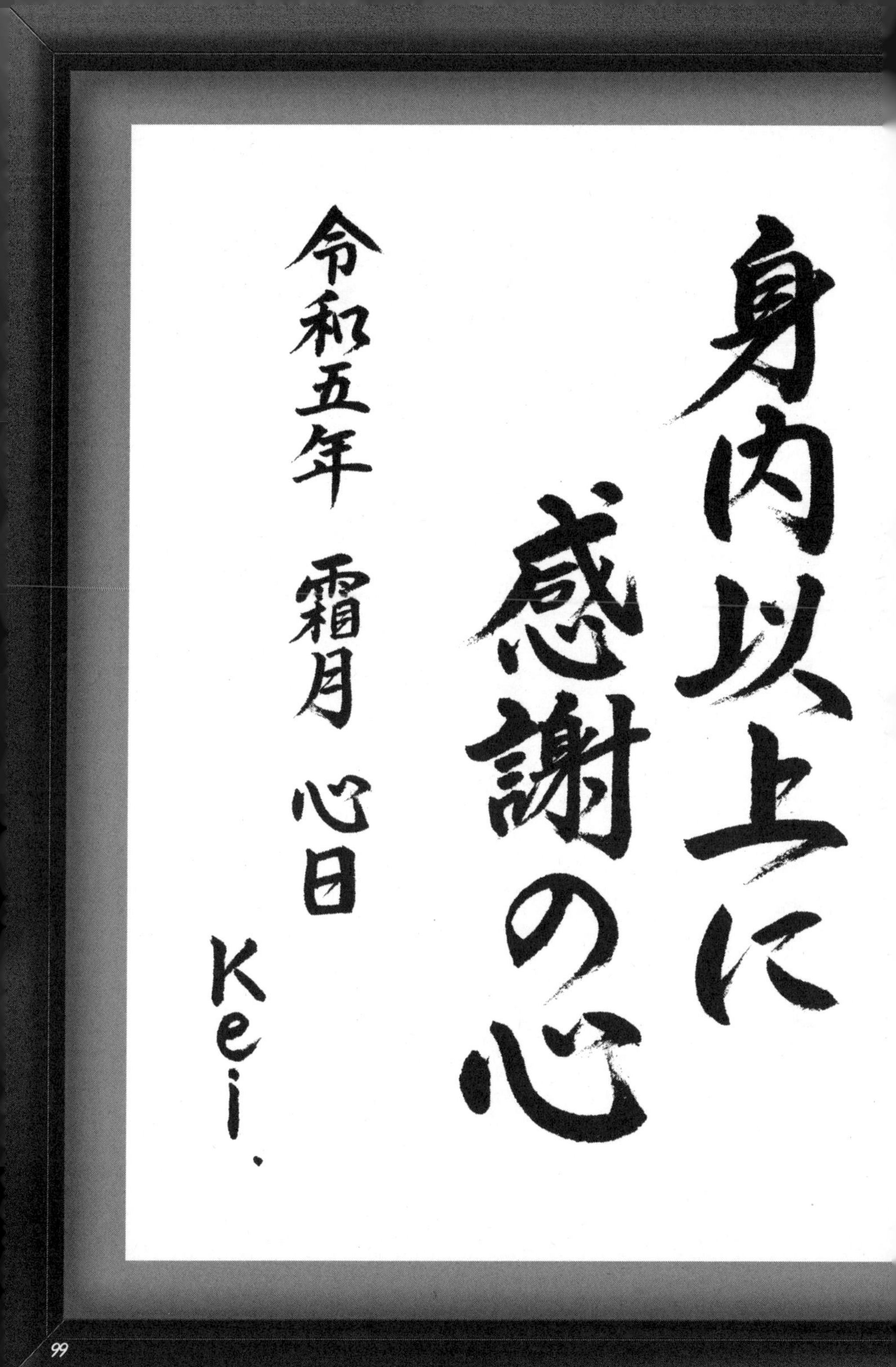
身内以上に
感謝の心
令和五年 霜月 吉日
Kei.

弱い者を苛め
私利私欲を貪って居る輩は
その内墓穴を掘るだろう!
男は口数少なく
他人を悪く言わず

聞かれたことに対して
反対の言葉を返すもの
そうすれば他人は自分を
評価してくれるだろう

令和三年　文月　考日

Kei.

Supreme

―自分たちで変えられること―

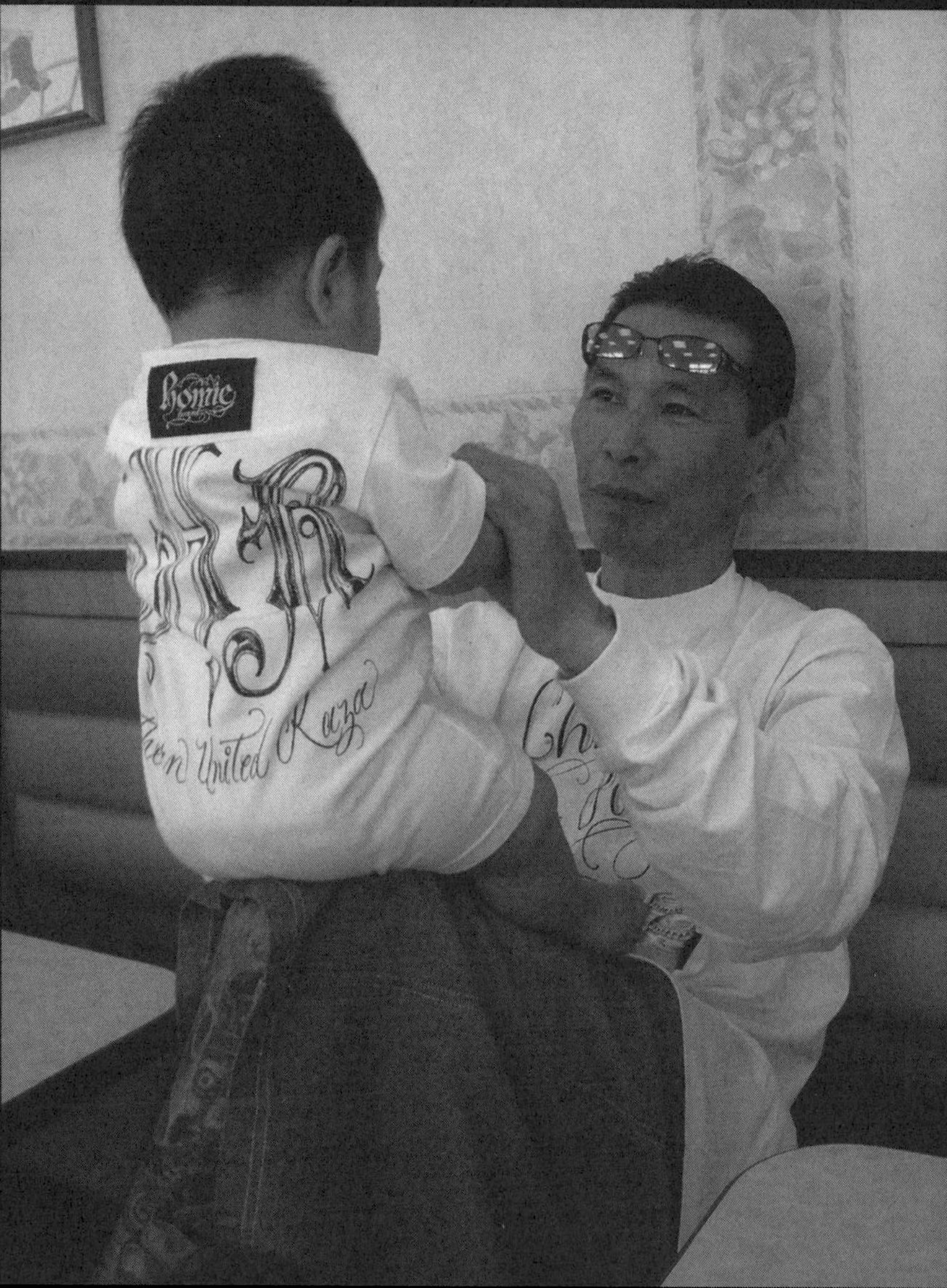

同級生などにいじめられている子がいても、絶対に便乗しないでほしい。最近は「親友」がいじめられていても、自分もやられるのが怖いから、いじめる側についてしまう子が多い。でもそれって自分の感覚からすると「親友」とは呼べない。ピンチの時に勇気を出して助けてあげるのが本当の親友だろう。

もし学校で友達がいじめられているとして、皆さんはどういった対応をするだろう。友達を助けることができる強い正義感を持っていれば問題はないが、なかなかそうはいかないのが現実だろう。見て見ぬ振りをする人も多いんじゃないかな。最悪なのは便乗して一緒にいじめることだ。その子を助けようとしたことで、自分がいじめられる側になることに恐怖を感じるのだろうが、それは人間として最低な行為だと認識してほしい。

いじめている人に面と向かって注意することが難しいのであれば、担任の先生や学校関係者などにいじめの事実を伝えるだけでもいい。口で言いづらかったら、「誰々がこういうことをされている」というメモ書きを担任の先生に渡すことならできるんじゃないだろうか。直接渡すことが難しければ、担任の先生の机に置いてでもいいから、いじめの事実を知らせる。そのぐらいの勇気は持ってほしい。もし友達や仲間がいじめられているのを知ったのであれば、どんな形でもいいので、どうか助けてあげてください。

何もいじめは子どもに限った問題ではない。最近は大人からのいじめの相談も増えてきている。同僚や部下から無視をされたり、LINEで陰口を回されたりしてうつ病になった管理職の人からの相談もあった。ある人のケースだが、自分がその会社に出向いて「これはいじめですよ」という話をしに行った。

上司にうつ病の診断書を提示して、治療のために有給を長期で取らせた。その人は毎週末に自分の経営するマリーナで、昼間からビールを飲みながら子どもたちが遊ぶのを眺めてのんびり過ごしていたら、精神的なストレスが徐々に軽減していき、そのうちうつ病も治り、今は職場に復帰している。

大人の場合は自らの意思で、カウンセリングを受けに行くことができるけど、子どもはそうはいかない。だから周りにいる大人がきちんと見張ってあげないといけない。もし自分の子どもがいじめられていたとして、それに気づいてあげられるかどうかは、普段からのコミュニケーションに関わっている。

いじめられた子どもは、必ず何かしらのサインを出している。学校から家に帰って来た時にいつもと雰囲気が違うとか、表情が暗いとか、黙って部屋に篭っちゃうとか、それまでと違う行動するということは何かしらの変化があるからだ。それがSOSのサイン。常日頃、親子の会話を心がけていれば、子供の変化にも気づきやすいだろう。

現在、子供とのコミュニケーションが上手くいっていないのであれば、まずは自分の子どもに関心を持つことから始めよう。

大義

自分がこの人のことだけは
信じ尊敬しているならば
その人のために尽くします
他人とは反目の人でも
自分には良くしてくれる
その人の為に全身全霊を

かけて尽くします
それが自分の「大義」だと思います
大義名分とは
そういうところから発生します
たとえ人がどう言おうがです
自分の信じた「道」をゆくだけです！

令和四年　師走　信心

Kei.

支えあい
生きるせならば
人といふ

騙しあいなら
狼といふ

令和四年 皐月 決日
Kei

人ならば
誰もが熱き
心あり

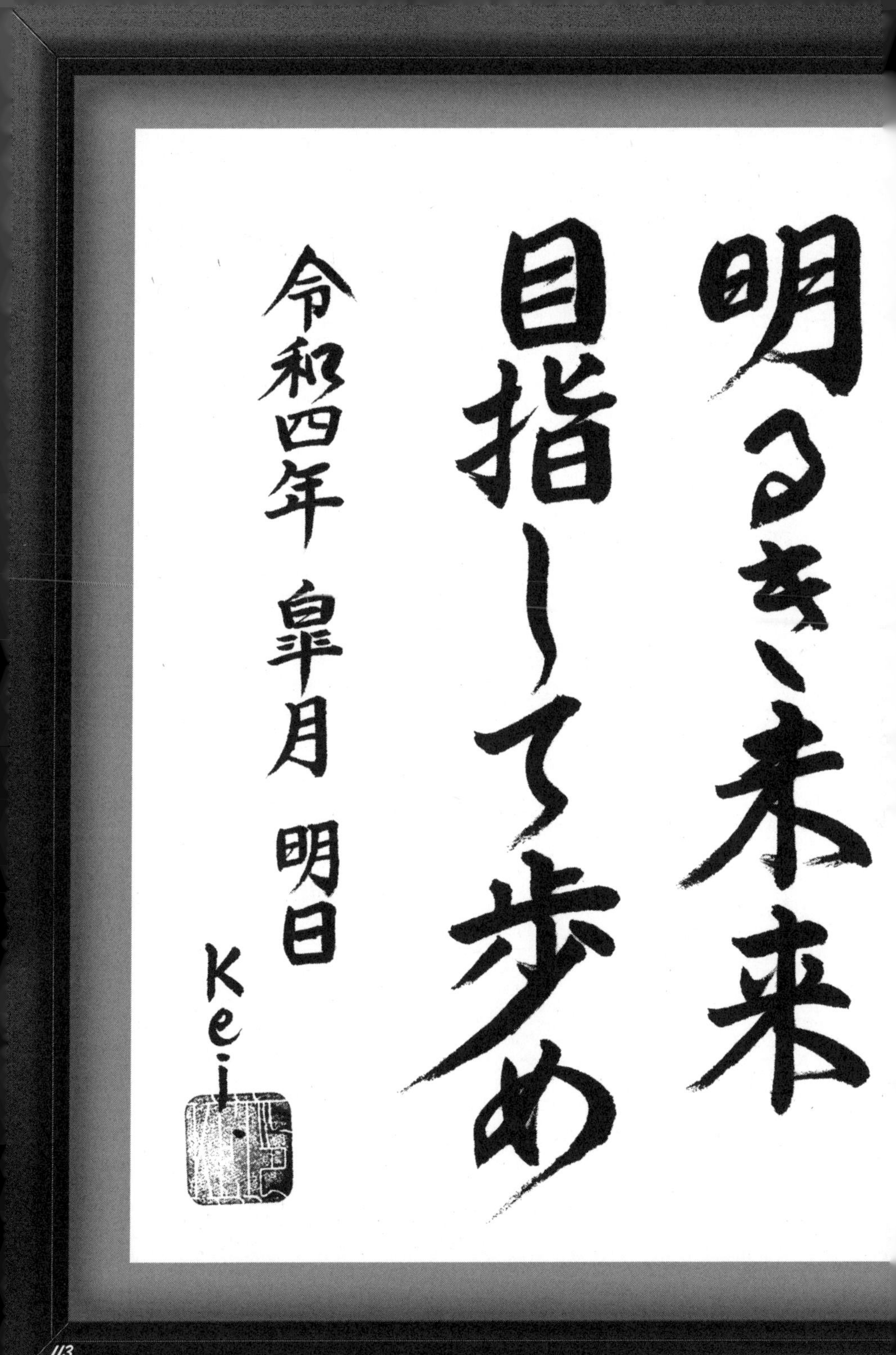
明るい未来
目指して歩め
令和四年 皐月 明日
Kei

子供たちの笑顔

虐待を受けている子供たちに
笑顔を取り戻せる日が来るのか？
そのことが自分たちが今取り組んでいる
一番の課題です
一度プライドを傷つけられ
虐待を受けた子供たちの
心を回復させるには
どうすればいいのか？
なかなか難しいことですね！
まず虐待を受けている子供たちの
両親たちの心や原因
それらを解決しないと
いつまでも子供に対しての

虐待は収まりません！
だから自分たちは
子供を産んだ親たちに言いたい！
自分も昔は親から
虐待を受けていたのではないのか？
だから自分の子供にも
虐待をするのではないのか？
きちんとした家庭に育っていれば
自分の子供を虐待するなんて
考えられないだろう！
まずは今の家庭環境から
変えて行くことが大切なのでは？
そして子供たちに笑顔を与えてやってほしい！
そう切に願っています

未来ある子供たちへ

これから育っていく未来ある子供たちに
どうすれば良い国が作れるかを教える必要性がある
良い国を作るには良い人間が必要だ
道徳心を持ち人の心を理解できること
犯罪に走らないようにする強い自制心
「男としてやってはいけないこと」
それらを未来ある子供たちに
伝えていくことの重要性をしみじみ考えています
子供たちには明るい未来が必要なんです

家庭内のすれ違い

家族と過ごす時間がない、話を聞いてやらない

一緒に遊んでいても
何ら子供やパートナーの心の悩みを理解していない
もっと真剣に家族と向き合い
お互いの弱点を話し合い
改善して行くことで
理解し合える家族になるのではないのでしょうか?

毎日が勉強

人間は死ぬまで勉強することを忘れず
経験を積んでいれば毎日新たな発見ができるはず
そしてその勉強してきた経験が次の
新たな発見に繋がるでしょう
勉強をしなければ自堕落になる
毎日が勉強です

強い心

己に自信を持ち物事に取り組む際
困難やトラブルに負けない！
また誘惑にも動じない！
諦めず己の信念を持ち
責任を貫き挑戦し続けることが
強い心を持たせるのだろう
逆に強気すぎても相手から
避けられるだろう
だから強い心を持つ時は
己のことに関わる時だけに
強い心を打ち出していこう！

今の日本

今の日本を立て直すには
経済活性化のための政策
消費税の見直しなどの税制改革
新たな産業の育成支援
経済活性化に向けた政策
教育の充実性
青少年や若い子どもたちに、人の心というものを教えることも大切である
そうすることによって
未来の日本に有益な社会人が増えるのではないのか
また弱者を受け入れるための社会的な教育や施設の設置
多様性を考えることも大事である
自分もそのように考え行動している
社会が一丸となり考えるべきではないのか

子供たちの心

虐待される子供たちの心は
ものすごく傷ついています
身体的な暴力
精神的な暴力
性的な暴力
様々な形で虐待されています
そんな虐待を受けた経験は
子供たちの人格形成に影響するでしょう
プライドを深く傷つけられて
人間関係を築くことが
難しくなるでしょう
恐怖心
不安

悲しみ
怒り
やり場のない感情を
生み出していくことだろう
また自分に自信がなくなり
人との接し方もわからなくなり
変な形で犯罪に走る
子供たちも数々出てくるでしょう
そんな子供たちを支え
理解してやり
尊重してやることで
子供たちのプライドを
回復させてやることも大切ではないのか?
過去のトラウマをなくしてあげて
健康的な人生が送れるようにしてあげたい

武士道

忠義
勇気
忍耐
誠実
死生観
これらは全て
昔の武士たちが主君に仕える時に
絶対的に必要とされる考え方です
必要とあらば
命をいつでも捧げられることができるのが
武士道です
誰にでもできることではありません
昔の武士たちは

子供の頃からそのような教育を受け
それが当たり前のことだと思っているのです
だから今の子供たちにも言いたい！
昔の武士道を勉強してください
心が強くなります
精神が強くなるのですよ

カウンセリング

子供にとって心理的な問題やストレスがいじめに変化して行く！
親からの暴力がいじめに関与していることは間違いのないこと！
そこからストレスや心理的な問題が発生
いじめをしている子供らには理解と支援
そしてカウンセリングが必要不可欠！

刑罰の制定

フランスではいじめをしたら刑罰を受ける
今の日本では考えられないほど
弱者に対して進んでいる国である
日本も遅かれ早かれ
いじめをしたら刑罰を受ける日が来るかもしれない
1日も早くそのような刑罰を制定すべきだろう
そうすれば加害者は犯罪者になるわけだから
少しはいじめが減るのではないのか
自分はそのように思っている

感情

人には、なければならない感情がある

喜怒哀楽だ
一喜一憂
憤怒
悲哀
楽しみ
この感情が無ければ人とは言えないだろう
マシーンと同じだ
人に操られ動く「物」に過ぎない
この感情を上手に「自己」で管理できてこそ
本当の「人」ではないのか
また、感情に流されてもよい方向には進まないだろう
「自己」の感情をコントロールするには、やはり経験がものをいう
人に流されず自分の意思で感情を操れるようになれば
強い自己になれるのではないのか？

環境によるいじめ

周りの環境によっていじめにあう子供たちがいます
様々な理由でいじめにあう傾向があります
子供が親や先生に皆の前で叱られたりすれば
それを見ている他の子供たちは
駄目な奴だからいじめてやろうと思う心理は多々あるはずです
だから親や保護者や教育者たちは
皆の前で叱ったり怒ったりしないことが賢明でしょう
精神的ストレスを与えないことが
大切だと思います

年功序列

今の時代の若者たちは年功序列など関係ない?
要はお金を持っている人たちの方が
自分にとっても都合が良いのだから
お金のない先輩には
年功序列などという感覚はないのだろう
自分たちの若い頃はどんなことがあっても
先輩に対しての礼儀作法を一から叩き込まれていた
今の若者たちは拝金主義で、お金があるところに集まっている
それはちょっと間違いではないのか?
なぜなら先輩たちがあって
自分たちの経験が積まれてきているのだから
もう少し年功序列という意味を考えた方がいいのではないのか

時代の変化

今の自分が現代の人間たちについていけないことは
必ずしも「自分が古い人間だ」
ということを意味するわけではない
人間たちの関心は様々であり
それぞれの異なる人格がある
時代の変化についていけない自分を
古いと感じることもあるかもしれないが
それもあくまでも個人の感じ方です
年齢に関係なく心理的に考えてしまうのが
人より多く歳を重ねてきているからこそ思うんですよ！

自殺を防ぐ

自殺の予防を考えてみた
信頼できるコミュニティをつくること
信頼する人と話すことにより
自分自身の気持ちを整理できる
家族や友人学校や職場などで
話しやすい相手を見つけること
肯定的な習慣を身につける
自殺を考えるような状況に陥る前に
肯定的な考えを身につけ
ストレスの発散方法を見つけよう
運動や音楽や趣味をみつけてあげるのもいいと思います

今の先生の在り方

先生とは、ただ知識や技能を教えるだけでは駄目だと思う！
子供の成長や人間的形成におけるコミュニケーション能力を教え
子供らの情緒面、メンタルを強く持たせる工夫も必要なんだよ！
ただ教科書通りのことを教えて
勉強だけさせていたんではその先生の進歩もないだろう！

家庭内での環境の影響

家庭内での学習環境の過程でいじめが起きている場合
子供というものはそれを学んでしまう
親の行動を真似するんだよ！
だから親もそんなところを見せてはいけない！

子供の自己防衛本能

子供らは自分自身が不安や苦痛を感じている時
他人をいじめることで、自分自身の不安、苦痛を忘れようとする
それが子供の自己防衛本能なんでしょう

子供たちの間でのいじめの心理

自分より弱い存在を
自分の力で支配しようという心理がはたらくらしい
ましてや友達やグループなどサークルが出来上がれば
余計に自分の存在感を意識するために、弱い者をいじめて力を示す
家庭内での出来事は子供に影響を与える
だから親が子供に対して力で正すということを教えてはいけない
親の影響は大きいですね

いじめる者たちの心の動き

いじめる人は自分の力を見せつけ
弱者を支配したいという欲望が強いはずです
他人をいじめて満足感を得たりするものです
また、自分自身が不安や劣等感を感じているならば
誰かを傷つけることによって
自身を守ろうとする心理があるはずです
そういうことを理解した上で
逆にいじめる側たちの立場を理解して
相談に乗ってあげてください

子供たちの未来

子供たちの未来は、大人の考え方によってだいぶ変わっていくのでしょう！

今は世界中で大人の勝手な欲得な考えで
子供たちが犠牲となっています
子供たちの未来を考えるには
国自体が思想や宗教や人種差別を理由に
勝手な理屈で戦争をしないことです
子供の未来を考えるには国が平和になることが先決！
まずは、そこから子供の未来があるのではないでしょうか？

いじめを無くすには

社会や学校でいじめについて
親子共々参加してミーティングをすることが大切だと思います
皆さんで話し合って、いじめの防止や
対策について考えることが最重要なのではないでしょうか？
放って置いては駄目でしょ？

子供たちの先輩として

子供を守る行為はその子供たちの未来を創ることに通じる！
超高齢化社会となり
子供が少なくなってきている現代！
先輩といわれる自分たちが
成功してきたこと
失敗してきたこと
それらを残り少ない時間の中で
子供たちに教えて行くこと！
その行為が今後の未来ある子供たちの為に
なるのではないでしょうか？

未来ある子供に希望を！

子供に対する期待は
親としてそれぞれの考えがある
「子供が健康な生活を送ること」
「良好な友人関係を築き充実した教育を受けられること」
「パートナーとの幸せな家庭生活をつくること」
「社会貢献をして認められて安定した収入を得られること」
親として子供にこれらの希望をもたせることこそ
大切ではないでしょうか

子供の心中

純粋で無垢
素直で感受性が豊かなのが
子供の「心中」なんです
子供たちは他人に対して
色んな経験や知識を持っていないだけに
細かなことに
喜怒哀楽を感じるものです
そんな子供たちに
ひとつひとつ
何が大切なことなのかを「教える」ことが
大人の役目なんです

子供の笑顔

曇った影を持った子供の顔が
どうか純粋無垢な笑顔になれるように
大人がケアしてやらなければダメなのではないか
明るい時の子供の笑顔には
親や周りの大人たちも癒されます
相乗効果でお互いが癒しを求められるような
生活のなかで「工夫」を模索しなければならないのではないか
今はネットで調べれば
いろんなアイデアに出会えるはず
率先して子供が笑顔を出せる環境を
作ることが親の責任です
そうやって、お互いが「笑顔」になれたら最高ですね

「君子は九度思いて
一度言う」
自分の考えを軽率に話さず
よくよく考えた上で口数
少なく話すという意味です

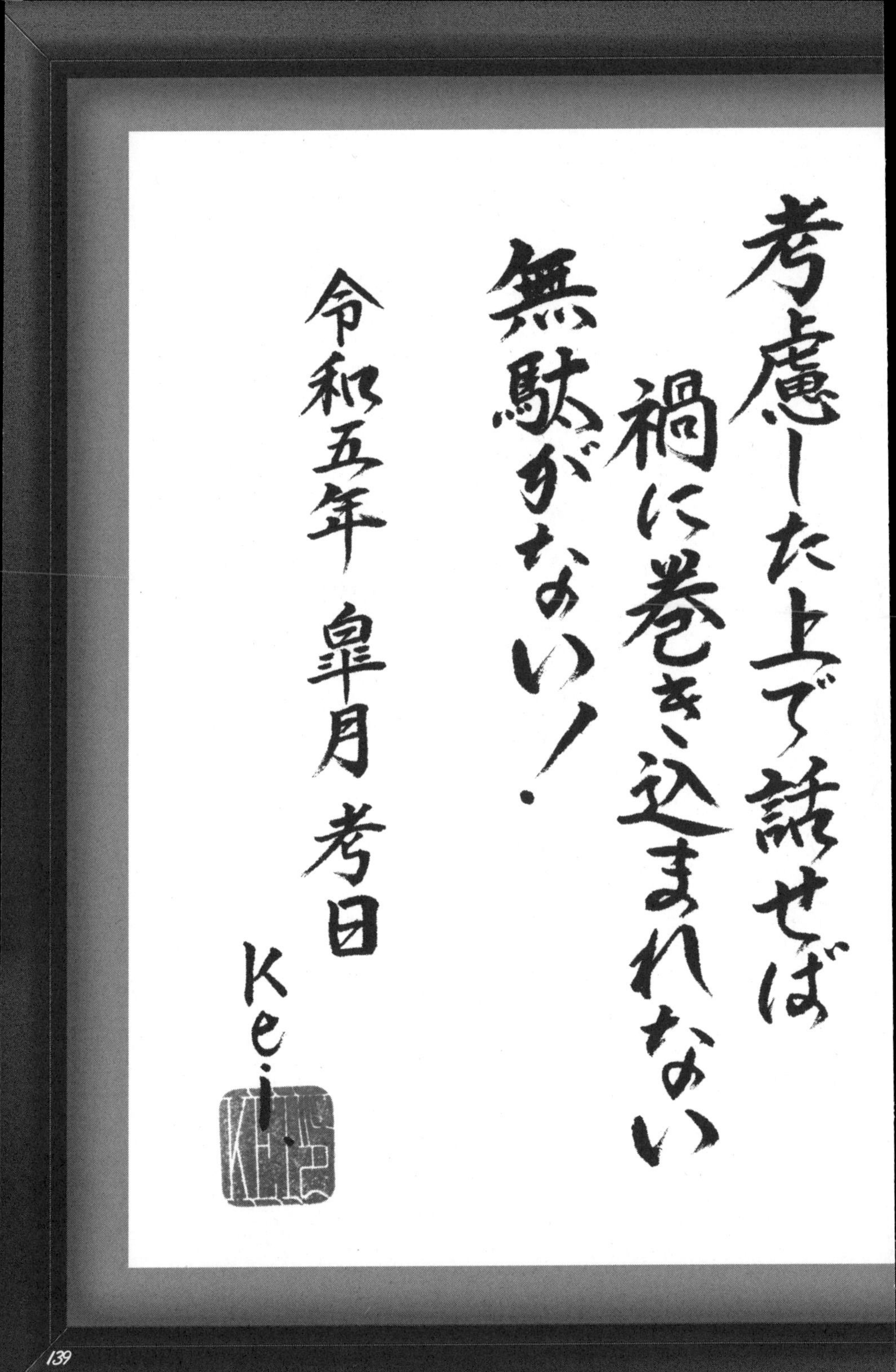
考慮した上で話せば
禍に巻き込まれない
無駄がない！
令和五年 皐月 考日
Kei

昔なら
拳骨一つ
当たり前

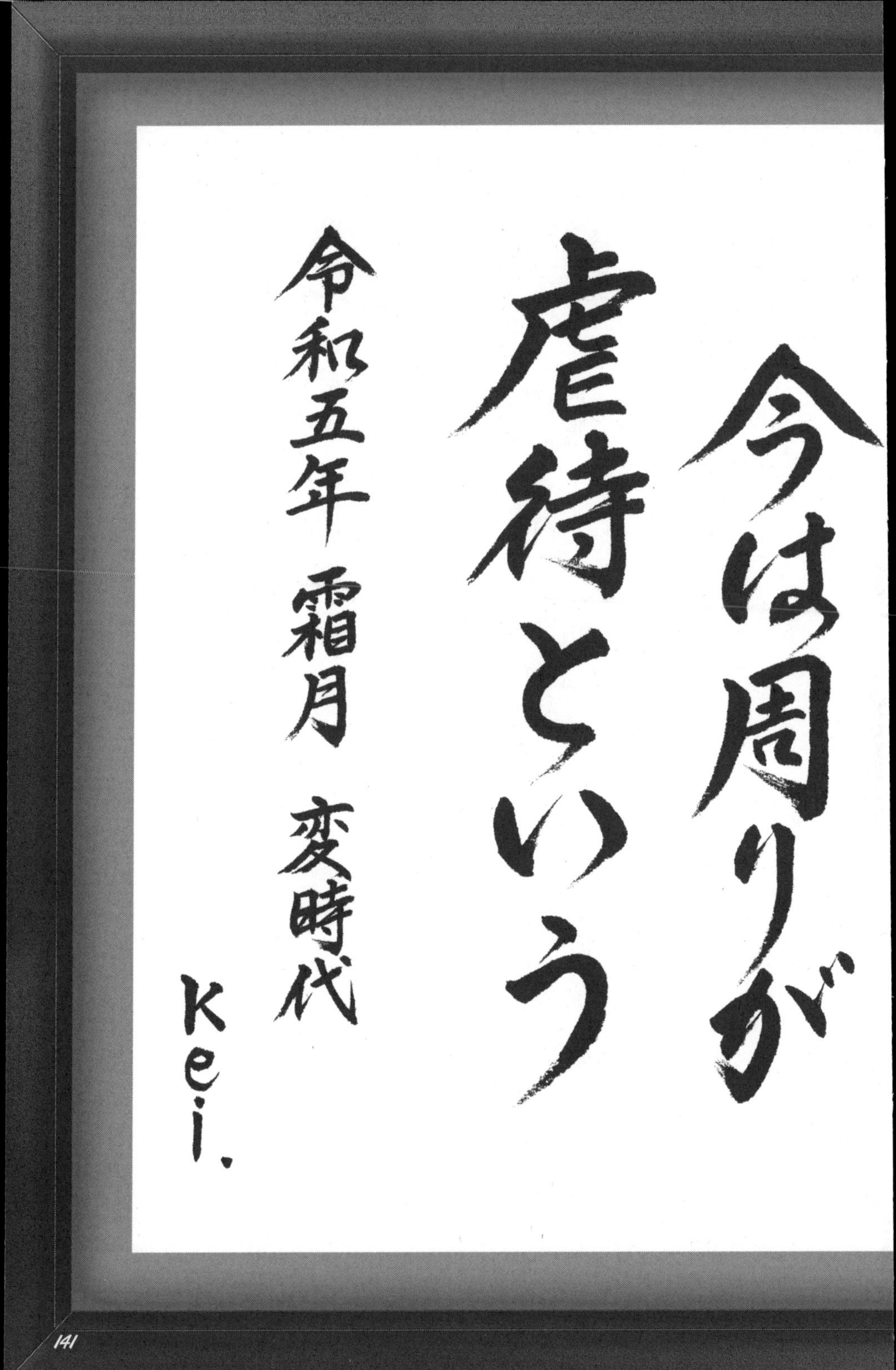
今は周りが
虐待という
令和五年 霜月 変時代
Kei.

今日を生き、
明日を生き延び
毎日の

忙しき中
子供ら思う

令和五年 霜月 思日
Kei.

男の人生嘘のない
毎日を送りたい!
己を大きく見せようとせず
枯葉に埋もれるように

生きて行きたい
出る杭は打たれる
自重が肝心

令和二年　男道

Kei

一般社団法人 Homie 子ども未来育成会

世界中の子どもたちの笑顔のために !!

これからの時代を生きる子どもの健全育成を図る活動を通じて
子どもたちが心身ともに健やかに成長を図るため設立された法人です。
子どもたちを取り巻く環境は、いじめ、不登校、貧困、虐待などの深刻な問題が山積になっており、改めて「家庭・学校・地域・社会」の役割と責任が問われています。
私たちは、地域社会に対して救済活動と啓蒙活動を行うことにより、子どもやその取巻く環境並びに人類の平和に寄与することを目的としています。

当法人は、多くの個人・企業・大学・団体等と連携・協力して
子どもたちが安心で安全な環境のもと、笑顔でのびのびと育ち
未来を切り拓いていくことができる社会を目指し
地域社会で子どもを育成するための
「大人の学び・子どもの学び」の支援をしていきます。

公式 HP

〈設　　立〉 令和3年5月13日

〈オフィス〉 神奈川県茅ケ崎市中島 20 番1号

〈主な事業内容〉

子どもの健全育成を図る活動を支援する団体及び個人ボランティアの活動支援、管理及び運営

子どもの健全育成を図る活動及びこれに伴うイベント等の開催及び運営

各種セミナー、講習会、イベント及びワークショップの企画及び運営

Homie カウンセラー資格認定のための養成講座、資格コースの企画、運営及び認定事業（準備中）

〈法人役員（10名：令和6年2月21日時点）〉

代表理事　井上ケイ（会社経営）

その他理事9名：会社経営、会社役員、会社員、司法書士）

※役員全員持ち出しボランティア（手弁当）にて運営

※※従業員なし

〈アドバイザリーボードメンバー（1名：令和6年2月21日時点）〉

医師

〈一般会員（令和6年2月21日時点）〉

個人会員：7名　法人会員：6社

〈設立の経緯〉

代表理事の井上ケイが、約22年前に個人的に非行少年少女を引き取り自宅で面倒を見、教育することから始め、その後、特定非営利活動法人 Good Family（以下、NPO 法人という）を設立、悩める多くの大人や子供の心身の看護やサポート活動を行う。同時に約4年前、NPO 法人とは別に、任意団体として井上ケイ同志会を発足。NPO 法人活動のサポート団体として活動を開始し、コロナ渦で経済的に困窮している人達を支援するため、活動拠点の茅ヶ崎市で「食料生活用品無料配布」を行う。しかし、この食料配布をする際に法人格を持たない任意団体では、責任の所在が明確ではない等の指摘を行政から受け、同志会の有志を中心に NPO 法人とは違う新たなメンバーで、一般社団法人 Homie 子ども未来育成会を設立。

KEIの活動歴

1961年6月	東京・杉並に生まれる。幼少時に育児放棄を受け、小学4年生でいじめに遭う。以後不良～ヤクザへの道をひた走る。
1990年1月	FBIの囮捜査で逮捕される。 獄中でチカーノ・ギャングから「家族」「仲間」の大切さを教わる。 カウンセラーになるための様々なプログラムを受講。
2001年2月	日本に強制送還。少年ヤクザ時代より世話になった刑事から「これからは社会に奉仕しろ!」と忠告される。 子供の非行問題に取り組むボランティア活動を個人で開始。無償にて非行少年少女の受け入れやカウンセリングを行う。
2001年3月	ボランティア活動のためのWEBサイト「K's Familia」を立ち上げる。
2004年	「K's Familia」から「Good Family」へと改称。
2011年3月	神奈川のラッパーと共に東日本大震災の復興支援へ。以後、日本全国の被災地の支援を継続。
2014年4月	悩みを抱える親子のための娯楽施設「HOMIE MARINE CLUB」設立。 毎年、「こどもの日」「夏休み」「ハロウィン」に子供のためのイベントを開催。
2016年9月	「特定非営利活動法人 Good Family」設立。
2017年5月	育児放棄された子どものための施設「GOOD FAMILY PARK」設立。
2021年5月	「一般社団法人 Homie 子ども未来育成会」設立。
2022年8月	作田明賞・優秀賞授賞。
2022年9月	「特定非営利活動法人 Good Family」解散。
2023年4月	ZEEBRA氏、田中雄士氏を招き「いじめ撲滅のためのチャリティートークセッション」開催。人気ラッパーによるいじめ撲滅のためのマイクリレー「No Bully」へと繋がる。

作田明賞授賞式の様子

KEIの地道な活動は
さまざまなメディアで紹介されている
「教育技術」2021年2月号

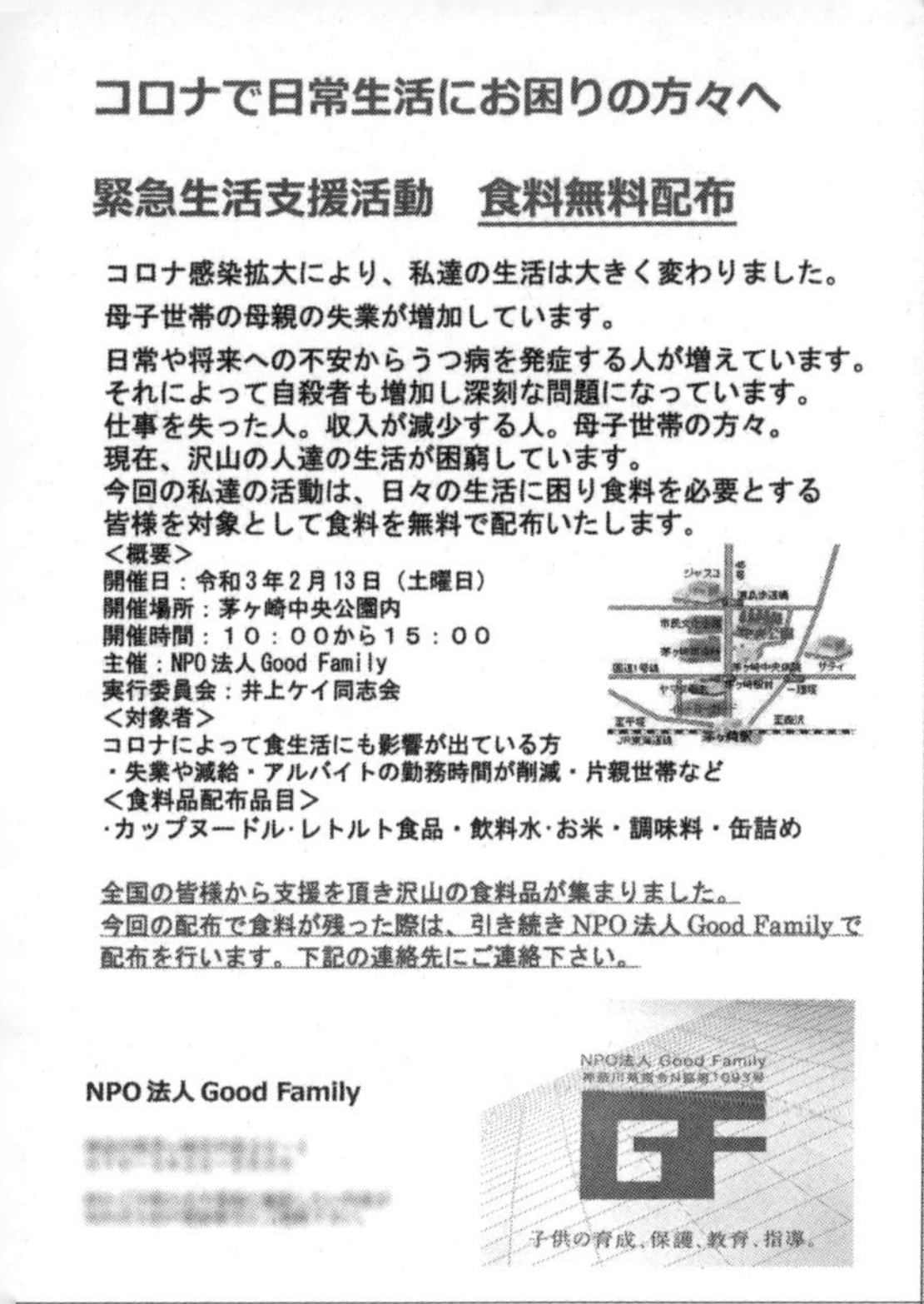
コロナで日常生活にお困りの方々へ
緊急生活支援活動　食料無料配布
コロナ感染拡大により、私達の生活は大きく変わりました。
母子世帯の母親の失業が増加しています。
日常や将来への不安からうつ病を発症する人が増えています。
それによって自殺者も増加し深刻な問題になっています。
仕事を失った人。収入が減少する人。母子世帯の方々。
現在、沢山の人達の生活が困窮しています。
今回の私達の活動は、日々の生活に困り食料を必要とする
皆様を対象として食料を無料で配布いたします。
＜概要＞
開催日：令和3年2月13日（土曜日）
開催場所：茅ヶ崎中央公園内
開催時間：１０：００から１５：００
主催：NPO 法人 Good Family
実行委員会：井上ケイ同志会
＜対象者＞
コロナによって食生活にも影響が出ている方
・失業や減給・アルバイトの勤務時間が削減・片親世帯など
＜食料品配布品目＞
·カップヌードル·レトルト食品・飲料水・お米・調味料・缶詰め
全国の皆様から支援を頂き沢山の食料品が集まりました。
今回の配布で食料が残った際は、引き続き NPO 法人 Good Family で
配布を行います。下記の連絡先にご連絡下さい。
NPO 法人 Good Family
NPO法人 Good Family
子供の育成、保護、教育、指導。

主催：一般社団法人Homie子ども未来育成会
こどもの日
みんな集まれ
5/5 金 10-15
入場料：子供(高校生以下)無料
(食事付) 大人5000円
食事はBBQ、焼きそば
子供はソフトドリン
※中高生は生徒手帳見
入場料、大人飲み物販売は、現金のみです！
ご注意：例年と開催場所が違います！
ゲスト多数！カリフォルニアからHomie達も！
駐車場あり！(一部有料駐車場利用 | 500円)！
アルコール類の持ち込みは不可！会場全面禁煙！
アルコール類の販売あり！飲酒される方は絶対に車の運転はしないでく
▼Breeze湘南マリーナ▼
〒254-0023
神奈川県平塚市馬入２１７６
入場料について；食事サポート以外にも燃料他各種費用がかかり、持出しで運営してお
「子供の笑顔のために」何卒ご協力の程、よろしくお願い致します。収益が出た場合
居場所改修・施設寄付等に使わせて頂きます。（会場スタッフは全て無償ボランティ

（左上）コロナで不安を抱えている方のために行った食料無料配布のチラシ
（右上）子どもの日イベントのチラシ

イジメをしてる
時間があるなら
もっと格好良いこと
人生使え。
ヤンチャダッタカライエルコトデキルコト
ZEEBRA × 井上ケイ × 田中雄士
イジメ撲滅活動トークセッション

2023 年 4 月 15 日藤沢市で開催された
「いじめ撲滅のためのトークセッション」

Homie
THE LEGENDS MEET FOR A CAUSE

毎年「こどもの日」「夏休み」「ハロウィン」に
開催しているイベントの様子。

イベントには、KEI の理念に賛同した
多くのアーティストが集まった。

2021年(令和3年)2月13日(土曜日)

心に寄り添う食料配布

児童虐待や親子間トラブルなどの問題に取り組むNPO法人「グッド・ファミリー」代表理事の井上ケイさん(59)らのグループが13日、茅ヶ崎市の茅ヶ崎中央公園で、コロナ禍で生活に苦しむ人たちに食料の無料配布を行う。幼い頃に両親と離れ、孤独な生活を送ってきたという井上さん。「寂しい思いをしている子どもたちに、笑顔を届けたい」と願いを込めている。（鈴木伸彦）

＊きょう茅ヶ崎で

井上さんは13歳の時、転々としていた親戚の家を飛び出し、東京・新宿の繁華街「歌舞伎町」で荒れた生活を送った。粗暴な人たちと接する機

つらい経験 社会のために

の密輸容疑で逮捕され、10年ほど米国内の刑務所に入った」という。

帰国した2001年、古くから面識がある警視庁の刑事に呼び出され、「さんざん社会に迷惑をかけてきただろう。今後は自分の経験を社会のために使え」と諭された。できることは何かを自問自答した末に「自分みたいに荒れた生活を送る子どもを増やしてはならない」と決意した。

友人がいる茅ヶ崎に移り、家族と暮らせない少年少女を自宅で預かった。マリンスポーツなどの会社を作り、水上バイクやバーベキューなど、親子が集まれるイベントも続けた。この活動を基に8年前にNPO法人を設立し、家庭内の問題の相談を受ける活動に取り組んでいる。

コロナの感染拡大後は、「仕事がなく食べていけない」などという相談が毎日10件以上寄せられ、「死にたい」という深刻な内容もあったという。このため、全国にあるNPOに支援に協力を依頼。100以上の個人や団体から寄せられたトラック計3台分ほどの…やカップ麺、レトルト食品…

山のように積まれた食料などのダンボール箱を整理する井上さん（茅ヶ崎市のNPO法人事務所で）

食料無料配布の様子。米やレトルト食品、飲料水の他にも、赤ちゃん用ミルクなど、家族構成に合わせて配布できるよう、さまざまなものが用意された。

あとがき

人間は感情の動物だ。妬みややっかみは必ずあるから、いじめはぜったいになくならない。でも減少はできる。だけど今の日本、増加の道しか辿ってない。

自分は実際に各地の学校に赴いて、いじめ問題を解決してきた。小さな町の学校だといじめの隠蔽が激しい場合がある。N県のある学校では、いじめている子の親が地元の権力者だったから、教育委員会も逆らえない状態で、とにかくもみ消そうと必死だった。

最終的に殺傷沙汰までいってしまったから、教育委員会まで引っ張り出して、県の警察も、加害者と被害者の親全員も学校に集めて、診断書を見せて、「こういうことがあったでしょ」といじめの事実を公表した。

「これ、大人だったら殺人未遂ですよ」と警察に言ったら、地元の権力者である加害者の親が「好きなようにすればいいじゃないですか。私の子供は小学4年生だから、誰が訴えようが刑務所にも少年院にも行かないから」と開き直った。根本的に親から教育し直さないとダメな場合もある。

去年の4月から、酷いいじめに関しては警察に通報する義務が発生している。でも警察に報告すると学校に汚点がつく。だから隠蔽しようとする。その悪循環だ。まったく機能していない。

学校の校長が定年間近だったりすると、尚更隠そうとして、いじめがないことにする。どうにか問題なく定年退職までいって、退職金をもらいたい、という気持ちが本来持っていなければならない正義感に勝ってしまうのだろう。

2023年4月にこども家庭庁が発足したけど、まったく機能していない。そんな省庁を創るなら、こども一人につき給付金5000円を支給することよりも、いじめで自殺する子どもを救うことに力を注ぐべきでしょ。

国がやらないなら、自分たちでやるしかない。自分の場合、相談は無料、もちろん解決するまでやる。でも自分一人では限界がある。相談者もキリがない。だから「どうしたらいいか」と思っていて、「いじめ撲滅」のチャリティー・トークセッションでZeebraくんと会った時に「自分たちが知らなくてもいいから、今の小中学生が崇拝している若いラッパーから、いじめがどれだけかっこ悪いことかをリリックにして歌ってもらえないか」と自分から相談した。音楽の力を借りて少しでもいじめが減少すればいいと思っている。

最後にZeebraくんをはじめ、「NO BULLY」いじめ撲滅プロジェクトに賛同してくれたラッパーとDJの皆様、またプロジェクトの関係者の方々、そしてこのいじめをテーマにした本の制作に関わった方々に感謝。どうかこれからも一緒にいじめの問題に取り組んでください。そしてこの本を読んでくれて、一人でも多くの方がこの問題に関心を持ってくれたら嬉しいです。

二〇二四年四月吉日　HOMIE　井上ケイ

進むべき道を行け!

KEI関連書籍・絶賛発売中!!

【BOOK】

『昭和に生まれた侠の懺悔』

人は誰だっていつだってやり直せる

チカーノKEIが、アメリカ極悪刑務所をサバイブした
壮絶な経験を元に書きためた
人生哲学「書」を130点収録。

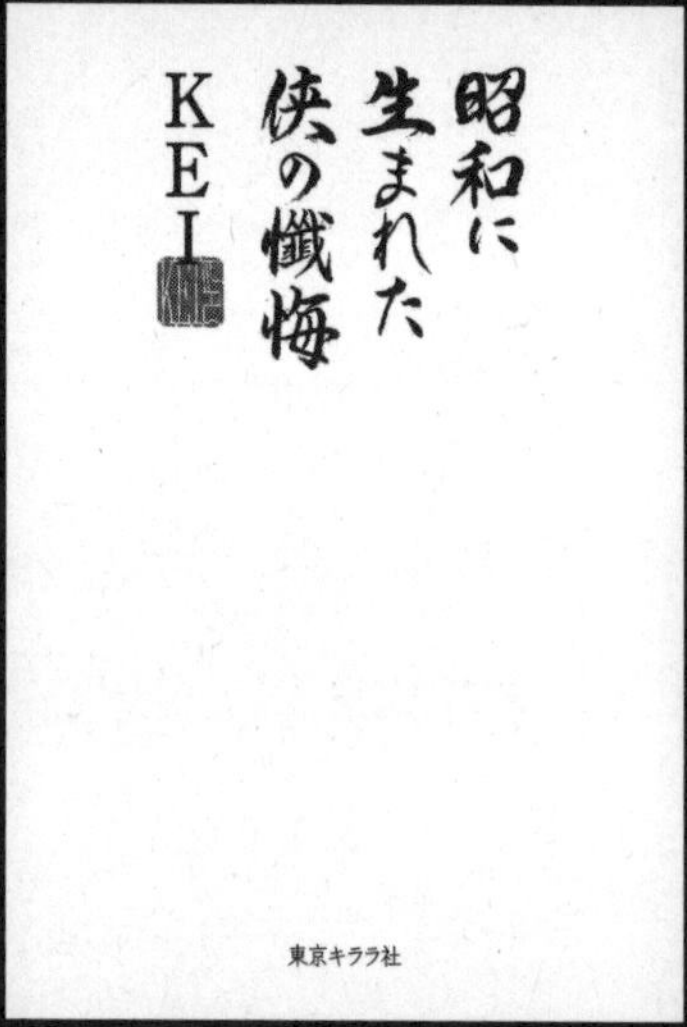

KEI 著／A5判／上製／160ページ
定価：本体2,000円（税別）
ISBN：978-4-903883-52-6
発行：東京キララ社

【BOOK】

『アメリカ極悪刑務所を生き抜いた日本人　改訂版』

ノートラスト・ノーワン（誰も信じるな）

口コミだけで3万部を超えた著作を再編改訂（『アメリカ極悪刑務所を生き抜いた日本人』『KEI チカーノになった日本人』『プリズン・ルール』）。レベル5の極悪プリズンをサバイブした男の壮絶なドキュメンタリー!!

売切れにつき、改訂版で再登場！

KEI 著／四六判／並製／264ページ
定価：本体1,500円（税別）
ISBN：978-4-903883-48-9
発行：東京キララ社

弊社オンラインショップwww.tokyokirara.comでは
希少本・デッドストックなども発売中!!ぜひご利用ください!!

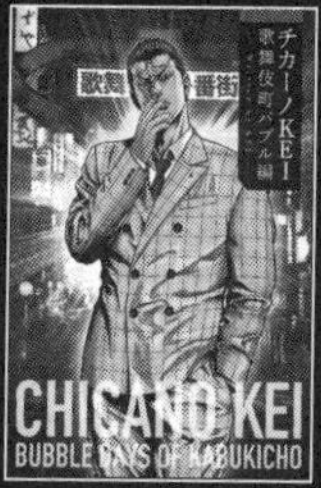

【BOOK】『チカーノKEI 歌舞伎町バブル編』

不良少年、暴走族を経て、ヤクザ街道を突き進むー。
金と暴力が支配する壮絶な80年代の歌舞伎町ヤクザ時代を
赤裸々に語った「バブル狂騒曲」!!

KEI 著／四六判／並製／192ページ
定価:本体1,500円(税別)
ISBN:978-4-903883-37-3
発行:東京キララ社

【BOOK】『プリズン・カウンセラー』

アメリカの刑務所でKEIが学んだこと、
それは「家族愛」であり「仲間の絆」。
カウンセラーとして第2の人生を歩む現在のKEIを追う。

KEI 著／四六判／並製／224ページ
定価:本体1,600円(税別)
ISBN:978-4-903883-25-0
発行:東京キララ社

【BOOK】『チカーノ先生の生きるヒント』

～めくったページにあなたの答えがある～
KEI氏が「思考法、自制心」、「仕事」、「家族・仲間の絆」、「リーダシップの重要性」など
身近な悩み毎に書をまとめ、逆引き的に解決の糸口を提示する新たな人生指南書。

KEI 著／四六判／並製／128ページ
定価:本体1,400円(税別)
ISBN:978-4-903883-59-5
発行:東京キララ社

【DVD】『CHICANO GANGSTA』

ローライダー、チカーノラップ、タトゥー、ギャング・ファッション、
撮影クルーの目の前で起きた襲撃事件……
KEI監修、西海岸リアル・チカーノ・ライフを追ったドキュメンタリー。

トールケース／90分
定価:本体980円(税別)
ISBN:978-4-903883-14-4
発行:東京キララ社

東京キララ社の本

各書籍詳細、その他の刊行物は
弊社公式WEBサイトにて
ご案内しております。

新宿ディスコナイト 東亜会館グラフィティ
著者：中村保夫

ディスコの日認定記念！　ブームの中でも未だ語られることのなかった新宿歌舞伎町・東亜会館の「子供ディスコ」シーンを徹底アーカイブ。新宿の夜を彩った319枚のディスクをカラーで紹介！

音楽

定価：本体 1,800 円（税別）
A5 判 / 並製 / 184 頁
ISBN978-4-903883-31-1

徳川おてんば姫
著者：井手久美子

徳川慶喜の孫娘である著者が綴る、戦前の華族の暮らし。少女時代の夢のような生活から一変、結婚と戦争、夫の戦死、そして娘との別れ。波乱に満ちた人生を軽やかに駆け抜けた「おてんば姫」初の著作。

歴史 / エッセイ

定価：本体 1,600 円（税別）
小 B6 判 / 上製 / 192 頁
ISBN978-4-903883-29-8

ROAD TO AMERICA クールス '90 の記録
著者：大久保喜市

1990年にオリジナルメンバーが再び集まり、Original Cools '90を結成。LAでのレコーディング風景、ハーレーで砂漠を疾走するMV撮影を記録した未公開写真90点を含む、再活動までの軌跡を写真と文章で綴る。

音楽 / エッセイ

定価：本体 2,000 円（税別）
A5 判横型 / 並製 /136 頁
ISBN978-4-903883-58-8

ハングリー・ゴッド
著者：COOLS ヒデミツ

2015年、デビュー40周年を迎えたCOOLS。これまでの軌跡を綴ったファン必読の一冊！変わらぬ姿勢・人生観、世代を超え愛される魅力がつまったエッセイ集。走り続けるCOOLSヒデミツを追いかけろ！

音楽 / エッセイ

定価：本体 2,000 円（税別）
A5 判 / 並製 / 192 頁
ISBN978-4-903883-10-6

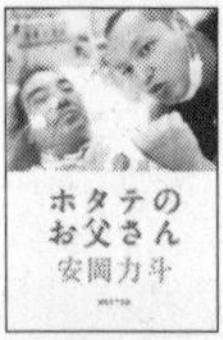

ホタテのお父さん
著者：安岡力斗

長男誕生をきっかけに、芸能界一の暴れん坊から優しいパパへと変身した安岡力也。離婚～クレーマークレーマー生活～ギランバレー症候群～親子間での肝臓移植。息子・力斗が語る、愛と涙で綴る究極の親子秘話。

芸能 / ノンフィクション

定価：本体 1,600 円（税別）
四六判 / 上製 /224 頁
ISBN 978-4-903883-06-9

エロチカ・バンブーのちょっとだけよ
著者：野口千佳

地味で奥手な女子大生がキャバレーのショーガールに！
そして全米 No.1 のバーレスクダンサーになっちゃった！
世界を股にかける日本人バーレスクダンサーによる初の自叙伝！

エッセイ

定価：本体 1,800 円（税別）
四六判 / 並製 /256 頁
ISBN 978-4-903883-56-4

静岡ハードコア
取材・文：ISHIYA

独自の盛り上がりをみせた静岡ハードコア・シーン。当時のライブハウス客8割以上がモヒカンというこの特異な地を拠点としたバンド達を、現役でハードコアを体現するISHIYAと、秋山氏が1年以上の歳月をかけて取材・インタビュー!

音楽 / ノンフィクション

定価：本体 3,500 円（税別）
A5 判 / 並製 /176 頁 /2 曲入 CD 付属
ISBN 978-4-903883-74-8

新装版　関西ハードコア
取材・文：ISHIYA

プレミアム化していた書籍が新装版で登場！　シーンで異様な雰囲気を放ち、恐怖映画のような噂話だけが伝聞された関西ハードコアバンド。本書は80年代を駆け抜けたバンド達にフォーカスをあて、当時の事象を掘り下げる。

音楽 / ノンフィクション

定価：本体 3,500 円（税別）
A5 判 / 並製 /176 頁 /2 曲入 CD 付属
ISBN 978-4-903883-75-5

マーケティングなんかクソ喰らえ！　数々の話題作を発表し続ける反社会的社会派出版社が自信をもっておすすめする一冊！

バースト・ジェネレーション Vol.1
ケロッピー前田 責任編集

90 年代カウンターカルチャーに多大なる影響を与えた伝説の雑誌『BURST』の血統を継ぐビジュアル単行本。スペシャル対談「内田裕也× HIRØ」、執筆陣：ケロッピー前田、ピスケン、釣崎清隆、根本敬、石丸元章、沼田学ほか。

サブカル

定価：本体 2,000 円（税別）　A4 判 / 並製 / 96 頁　ISBN 978-4-903883-34-2

バースト・ジェネレーション Vol.2
ケロッピー前田 責任編集

スペシャル対談に「般若× HIRØ」「KEI ×漢 a.k.a GAMI × D.O」が登場！ BURSTでおなじみの執筆陣に加えて、PANTA、ロマン優光、姫乃たまらが参加し、過激な最新カウンターカルチャー事情を紹介！

サブカル

定価：本体 2,000 円（税別）　A4 判 / 並製 / 96 頁　ISBN 978-4-903883-47-2

プロレスリング・ノア写真集「LIVE!」
著者：宮木和佳子

団体初の写真集。2017 年、団体史上最も変革・動乱を巻き起こしたシリーズ「NOAH THE REBORN」から、現在進行中のシリーズ「NOAH THE LIVE」まで、オフシャルカメラマンだからこそ撮れた激闘の記録を一冊に！

写真集

定価：本体 2,778 円（税別）　B5 判 / 並製 / 128 頁　ISBN 978-4-903883-30-4

平成レトロの世界　山下メロ・コレクション
著者：山下メロ

「平成レトロ」提唱者・山下メロが残したい「平成グッズ」コレクション 989 点を掲載！　ポケベル、ガラケー、スケルトン、プリクラ、たまごっち、タレントグッズ……見落としがちな平成アイテムを一挙掲載！

サブカル

定価：本体 1,800 円（税別）　A5 判変形 / 並製 / 144 頁　ISBN 978-4-903883-60-1

所沢のタイソン
著者：久保広海

「この怒りってなんだろう？　なんで自分はいつもこんなに怒っているんだろう？」ステゴロ最強！　タイマン無敗の男！　都市伝説となっている噂の真相をついに語る！

ノンフィクション

定価：本体 1,500 円（税別）　四六判 / 並製 /200 頁　ISBN 978-4-903883-55-7

THE FOOLS MR. ロックンロール・フリーダム
著者：志田歩

北海道の刑務所で非業の死を遂げた不世出のヴォーカリスト・伊藤耕をフロントマンに擁するロック・バンド、ザ・フールズの類い稀なる軌跡を追った迫真のノンフィクション。

音楽

定価：本体 2,800 円（税別）　四六判 / 並製 / モノクロ 408 頁　ISBN 978-4-903883-63-2

シンスポ　心霊スポット写真集
監修：コヘイ

ステイホームで恐怖体験！　写真で辿る国内外の心霊スポット巡礼。村田らむ、釣崎清隆ほか豪華作家陣多数参加！

写真集

定価：本体 1,800 円（税別）　A5 判横型 / 並製 / 128 頁　ISBN 978-4-903883-61-8

シンスポ　心霊スポット写真集　廃墟編
監修：栗原亨

心霊スポット 88 ヶ所巡礼。自宅に居ながら恐怖体験！　不気味ながらもカッコイイ！　北は青森から南は沖縄までシンスポ廃墟を写真で辿る旅。

写真集

定価：本体 1,800 円（税別）　A5 判横型 / 並製 / 128 頁　ISBN 978-4-903883-62-5

昭和に生まれた侠の懺悔
第2章 いじめ撲滅編

二〇二四年五月一七日
第一版第一刷発行

著者 KEI

発行者 中村保夫
発行 東京キララ社
〒一〇一-〇〇五一
東京都千代田区神田神保町2丁目7 芳賀書店ビル5階
電話 〇三-三二三三-二二二八
MAIL info@tokyokirara.com
デザイン オオタヤスシ (Hitricco Graphic Service)
編集 中村保夫 有村タカシ
DTP 加藤有花
印刷・製本 中央精版印刷株式会社

ISBN 978-4-903883-77-9 C0036
2024 printed in japan

KEI オフィシャルサイト